Fogo, Cerrado!

Marcos Wilson Spyer Rezende

Fogo, Cerrado!

Ilustrações de
Bruno Liberati

GERAÇÃO

Copyright © 2020 by Marcos Wilson Spyer Rezende
1ª edição – Novembro de 2020

Grafia atualizada segundo o Acordo Ortográfico da Língua Portuguesa
de 1990, que entrou em vigor no Brasil em 2009.

Editor e Publisher
Luiz Fernando Emediato

Diretora Editorial
Fernanda Emediato

Capa, Projeto Gráfico e Diagramação
Alan Maia

Ilustrações
Bruno Liberati

Copidesque
Hugo Almeida

**Dados Internacionais de Catalogação na Publicação (CIP)
de acordo com ISBD**

R467f	Spyer Rezende, Marcos Wilson Fogo, Cerrado! / Marcos Wilson Spyer Rezende / ilustrado por Bruno Liberati. – São Paulo : Geração Editorial, 2020. 358 p. : il. ; 15,6cm x 23cm. Inclui índice. ISBN: 978-65-5647-0139 1. Literatura brasileira. I. Liberati, Bruno. II. Título.

	CDD 869.8992
2020-2668	CDU 821.134.3(81)

Elaborado por Vagner Rodolfo da Silva - CRB-8/9410

Índices para catálogo sistemático
1. Literatura brasileira 869.8992
2. Literatura brasileira 821.134.3(81)

GERAÇÃO EDITORIAL
Rua João Pereira, 81 – Lapa
CEP: 05074-070 – São Paulo – SP
TEL.: (+ 55 11) 3256 -4444
E-mail: geracaoeditorial@geracaoeditorial.com.br
www.geracaoeditorial.com.br

Impresso no Brasil
Printed in Brazil

Para Florência

Sumário

CAPÍTULO I 11

CAPÍTULO II 27

CAPÍTULO III 33

CAPÍTULO IV 43

CAPÍTULO V 57

CAPÍTULO VI 71

CAPÍTULO VII 83

CAPÍTULO VIII 93

CAPÍTULO IX 111

CAPÍTULO X 119

CAPÍTULO XI 129

CAPÍTULO XII 143

CAPÍTULO XIII 163

CAPÍTULO XIV 173

CAPÍTULO XV 183

CAPÍTULO XVI 195

CAPÍTULO XVII 207

CAPÍTULO XVIII 219

CAPÍTULO XIX... 231

CAPÍTULO XX 239

CAPÍTULO XXI 247

CAPÍTULO XXII 255

FOGO, CERRADO!

CAPÍTULO XXIII 269

CAPÍTULO XXIV 285

CAPÍTULO XXV 291

CAPÍTULO XXVI 301

CAPÍTULO XXVII 309

CAPÍTULO XXVIII 339

CONVERSA AO FINAL 353

I

João Cândido caminhou gingando em direção ao cocho principal do curral da sede da Fazenda Santo Antônio. Terras fartas. Cortadas no meio certo pela Rio-Brasília. Marcha de vagareza. Pernas em arco de andar tanto a cavalo mostravam bambeza. Corpo grande, desajeitado, ia-não-ia desmoronar. Na mão direita, balde de alumínio com sal para suas vacas. Espinhaço curvado. Braços pareciam querer tocar o chão. Soltos à toa, desencontrados. Cabelos revoltos de cachos muitos. Finos, de um louro-claro. Chapéu de feltro. Erado. Abas dobradas. Jogado ao léu no começar das costas. Pendurado no pescoço por corda fina. Doidice. Sol muito carecia cabeça coberta. Rosto longo. Branquicelo. Cor de leite resistente à quentura de tempo sem chuva. Testa suarenta cobria rugas de 47 anos.

Camisa de linho branco, antigo, grosso, grosseiro. Calça comprida de brim amarelo, barra desfiada. Larga e amarrotada. Nunca tinha passado pelo ferro em brasa de comadre Zefina, mulher dele. Braguia fechada com alfinete de fralda. Butinas materas pretas. Muito usadas. Esfoladas. Breadas de bosta verde e mole de gado. Vaqueiro João era um homem só. Igual onça. Máximo, os filhos de companhia. Para campear gado perdido. E ajudar no apartar. De pouca conversa. Um quase nada de prosa. Um dedo de. Com amigo Dolores. Nêgo Dolores. Prosa muita só com ele mesmo. Pra dentro.

Verdadeiramente, João Cândido vivia mesmo no curral. Ódio sem-fim sentia quando ladrão de gado matava vaca curraleira no pasto. Mansinha. Ossos aparecendo. Forte no guerrear com berne. Pele grossa. Feita com argila do Cerrado. Parideira igual não havia de haver. Nelore perdia feio. Se peito de uma qualquer secasse, oferecia o seu. Criava, sem reclamar nunca, filho dos outros. Se importava não. Diferente demais das outras vacas. Coiceavam no logo bezerro filho para desmamar. Poder ter outro filho de touro branco furioso. O preferido. Escolhido.

Vaca brava parida de recente tinha respeito pelo vaqueiro. Touro, não. Monarca era o pior deles. Nelore branco. Só cara era meio empretecida. Maldoso no sempre. Investia para matar o vaqueiro. Pensava com a cabeça lá dele que João Cândido ia se aproveitar das vacas generosas de sua posse. Monarca queria todas: gir e zebu, as preferidas.

Depois, curraleira. Raça dele mesmo, nelore, meio que desprezava. Touro outro, limosin. Concorrente. Troncudo e baixinho. Recebeu nome do mais de estranho: Pafunço. Bezerros poucos dele tinham carne vermelho-escura.

Nunca quis boi de irmão. Preferência para cavalo. Sério. Respeitoso dos espaços do de cada um. Ativo. Atento a tudo em volta. Caçando vida de perigo. Para prevenir. Jeito de ser só dele. Criado solto, virava o bicho mais bonito do Cerrado todo. Disparada dele era de dar inveja. Mesmo domado, exigia respeito. E muito. Conhecia cada pessoa. Mais ainda. Tinha faro para bicho homem medroso. Sem confiança. Entendia conversa de vaqueiro. João Cândido e Ventania, manga-larga do Coronel, eram como irmãos gêmeos. Daqueles iguais, iguais. Nascidos do mesmo ovo. Gêmeos de cabeça. Quando vaqueiro montava, os dois viravam um. Desafio nenhum dava conta deles. Perigo, desconheciam. Cavalo gostava de cavaleiro. Só. Olhava de banda e nem mesmo deixava chegar perto bicho homem estranho. Altivo, sempre.

Mulher dele, bem mais que Zefina, era a mata do Cerrado. Nunca viu mar. Sabia que era lagoa de num acabar nunca. Vontade nenhuma de ver. Uma sengracês. Mata fechada chamada Amazônia, mostrada em foto da revista *Cruzeiro*, devia de ser igual ao mar. Diferia só na cor. Mundão de verde. Num devia dar de entrar. No meio dos dois, o Cerrado! País. Dele. O Cerrado era generoso. E perigoso demais da conta. Feito para todos os bichos. Campos abertos sem findura. Montes e espinhaços. Capoeiras. Veredas. Buritizal. Cerradão fechado. Córregos e rios de águas puras. De força pura. Como a da represa de Três Marias. Dava luz para o Brasil. Quase todo. Ali perto. Ou do seu Santo Antônio com foz no Paracatu. Que servia ao São Francisco. Fartura de água. E de peixes. Fácil de pegar, no puçá. Fartura de bichos. Fartura de comida. Fartura de mel.

João gostava daquela terra de um jeito estranho. Como se mulher dele fosse. Tinha enormidade de carinho pelo Cerrado. Gente, para ele. Pessoa. Quando matutava sobre a vida, certeza tinha de ser casado com ou filho verdadeiro desta barriga vermelho-amarelada. Como árvore. Pés fincados na terra vermelha. Tinha bem-querer por árvore torta de casca grossa. De fazer remédio. Quinino. Bálsamo de copaíba. Sá Joana era a doutora do Cerrado. Catuaba. Chá de casca de jatobá moído. Não queria era ser capim-braquiária dos campos limpos. Nem árvore dos campos sujos. Uma toça aqui, outra lá no longe. Como ilhas que o Santo Antônio formava em tempos de chuva pouca na cabeceira. Sombra para gado.

Simpatia, no passar das contas, pelas árvores das matas do Cerradão. E das de beira de rio e córrego. Gostava de ver a briga delas para alcançar as nuvens. Ficar mais perto do Sol. Para ganhar força e derrotar as outras. Não conseguisse, morria. Simpatia por aroeira e angico. Sucupira-amarela. Queria mesmo, no mais muito, ter nascido Jequitibá. Corpo forte. Duro. Cabeça de folha no quase roçar as nuvens. Jequitibá-rei. Branco. Lá do alto podia de ver o Cerrado. Todo. Apreciar. Ou vigiar. Ver mulher tomando banho no rio. Nuinha. Esfregando sabão de barra, vermelho-rosa, no devagar pelos peitos. Se mostrando toda. Cheirosa.

Companheiros outros eram trens e bichos. O facão com cabo preto de osso. De picar fumo. Abrir mato. E matar! O par de esporas. Dourado. Usava no aperto suave na barriga de cavalo arisco. Para não machucar animal. Amigo, sempre. No relar de leve dava ordens de galope, trote e marcha. A binga. Ligadora de pensamento. Como fio de cobre. O arreio. Pegou forma da bunda dele. Banquinho de tirar leite também. Feito à mão. De aroeira. Para sempre durar. Todo preguento. Ajeitado. Melhor que ficar de coque. Balde enganchado entre as pernas. Pano de saco de farinha de trigo para limpar baba de bezerro em teta de vaca. Branco encardido. Jogado no despropósito sobre o ombro. Laço de piar. E o laço de laçar. Predileção maior. Girava no ar. Formava curvas cheias de buniteza, como corpo de mulher. Errava laçada nunca. Povo trepava no curral para admirar. Curvas de mulher gostosura.

Dos trens bichos, predileção nenhuma tinha por búfalos. Animais feios, grandes demais para as veredas. Descombinavam com os Gerais. Um casal vivia na fazenda. Chegado do Amapá. Só para satisfazer vontade do Coronel. Apreciava porco. Piau. O pintado de preto-e-branco esfumeado. Fruto do Cerrado. Como a vaca curraleira. Hora de matar leitão para comer ou, capado para ter banha muita, coração doía. Ojeriza demasiada por gato. Nunca olhava olho no olho. Animal convencido. Serventia nenhuma. Nem para comer rato do paiol. Coruja fazia melhor.

Veados catingueiros e mateiros, fabricados pelo e para o Cerrado. Tamanho certo. Cor certa. Espertos e bonitos. Caça boa. Carne macia. Carecia cachorros em bando, de Pedrão Caçador, no cercar nos capões. Tocaiar nos poços de beber água. No meio da mata. E assar no certo. Raposinha, menorzinha ainda, vivia no Cerrado melhor acomodada do que bicho homem. Lobo guará, mais aparentado dela, raposa, deixava João Cândido acordado noite inteira. Para escutar o uivo e a resposta seguida. Ter ponta de medo na escuridão. Uuuuuu. Uuuuuu. Resposta. E o breu.

João desprezava vira-lata, pequeno ou grande. Rabo entre as pernas. Ali, pedindo pontapé. Implorando comida. Odiava gatos do mato. Pena de boi carreiro. Capou muitos. Sempre juntos. Imensidão de carne e de força. Nem um pouco se importavam com nada em volta. Ensimesmados. De uma tristeza esquisita. Diferente do nelore. Enfezado. Brigador. Como peixe de nome dourado. Rasgava doído as carnes da boca no pulo sobre as águas. Para escapar de anzol. Jaguatirica era como mulher. Dengosa. Fogo por dentro. Acuada fosse, mudava. Perigosa. Traiçoeira. Valente.

Fogo, Cerrado!

João Cândido dava atenção alguma para passarinho. Os de vida emparelhada. Canarinho-da-terra. Pássaro-preto, sabiá-laranjeira, curió e pintassilgo. Um dedo. De admiração. Gostava do cantar demorado. Quando fome muita de carne apertava, filhos dele, Tonho e Zinho, armavam arapuca de bambu para pegar rolinha fogo-pagô. E o que mais desse. Armadilha engenhosa. Feita com forquilha de vara de marmelo. Graveto qualquer, poleiro ardiloso. Era pomba triscar e arapuca cair. Bodoque matava outros vários. Zefina depenava igual galinha. Fritava. Comiam com gosto. Com osso e tudo. Melhor que lambari. Simpatia restava para gavião. Causa era olho enfezado e garras afiadas. Como as das mãos dele. Força demais. Para agarrar inimigo pelo pescoço. Torcer. Como sempre fez na hora de matar frango.

Tinha predileção especial por pássaro galo ave. Na rinha, brigava até a morte chegar. Sem medo. Sem desespero de fuga. Ferido de morte por esporões afilados. Rasgado no pescoço por bico-lança certeiro. Desconhecia palavra desistência. Ademais, era pássaro grande com muitas mulheres. Não gostava de viver pareado. Para toda uma vida. Com aquela obrigação sem jeito de nunca mudar. De ficar com a mesma fêmea. Mesmo não gostando. Pássaro-preto com pássaro-preto. E os outros passarinhos todos. João bobo! Não sabiam como era bom ter fartura de mulheres. Ter mulher. Bastante. E sempre.

Galo índio, então? Penca de fêmeas. Ciencioso de que pode derrotar os inimigos na briga pelas galinhas. Os outros respeitam, o poder. Não caçam briga à toa. Um qualquer pode até enfrentar o dono do galinheiro. Se derrotar, novo dono. Do território. Se não, ovo galar só no escondido. No rápido. Triscar e correr. E se muito! Sem ser visto, melhor. Frango jovem, que queria tomar o terreiro dele, tinha que guerrear. Perdia. Derrota era pura humilhação. Das grandes. Melhor morrer. Mas aceitava viver. Ficava amuado no canto dele. Vergonheza enorme de grande. Porém, pensava: era jovem. Tinha tempo de dar ao tempo. Ia brigar de novo. O inimigo, velhinho, sem força nas pernas dos esporões e no pescoço do bico afiado, ia de perder. No garantido.

João Cândido tinha na certeza que bicho macho e bicho homem eram exagero na vontade sem rédea de ter mulher. Bicho fêmea e bicho mulher igual eram. Diferiam no jeito. Elas saíam com machos todos, quase! Gostinho de traição aumentava prazer. Guardavam segredo. Macho, não. Pavoneava. Esperteza boba, essa! Bicho macho queria alardear posse muita de mulher. Feia, bonita. Qualquer servia. Maioria nem se importava de criar os filhos. Problema da mulher bicho.

Vez que outra, João tinha pena dos bichos mais fracos. Não havia meio de arrumarem fêmea de sua. Nem mesmo brigar por uma que seja. Era ordem das coisas. Conformidade. Ninguém ensinava pra bicho animal lugar dele entre os seus. Sabia bem a disposição. Nasciam tendo ciência de. Ou aprendiam um com outro. Pássaro-preto. Feito de pura inteligência. Descobria, depois de infinidade de tentativas, destapar lata mal fechada com arroz-canjiquinha dentro. Ensinava para os outros. Até na conversa era diferente. Na roça, canto de aviso era um. Gavião vai atacar! Na sede, outro. Homem chegou! Parecido mas diferente. Eram como gente mesmo. Engenho. Cada peça de madeira conhecia bem o que fazer. Para cuidar pela vida. Fazer filhos. João Cândido matutava, fumando palheiro goiano, que animal era como planta. Queria espalhar semente dele na barriga de terra da mulher. Desejo maior.

Bicho homem, vez que outra sempre, treta. Finge não saber. Bicho é fabricado de pura esperteza. Na hora de ataque de gavião, bando maior de passarinhos deixava um de guarda. Para dar aviso. E ser comido. Cantava, levantava voo, meio metro se tanto, e gavião dava bote certeiro. Já saía despenando. Problema era quando ninguém mais queria dar aviso. E um qualquer podia ser o prato de gavião. Bando decidia então escolher um outro. Para morrer pelos outros. Sacrifício. Como ensinaram no catecismo. Cristo morreu para salvar todos nós. Igual pássaro-preto. Bichos, homem e animal, perdem tempo não. Querem viver. Se sabedor de que vai perder. Foge de ataque. Conhece seu lugar, na certeza. Obedece quando é para obedecer. E parte pra luta sem-fim. Se lugar quer do que está na dianteira. E conquistar as entranhas da mulher.

Bichos da Fazenda Santo Antônio mostravam tudo o que de certo fazer. E o de errado. Também. Ensinavam jeito de ser. Só prestar atenção. Assuntar. Aprender. Tudo acontecia no normal da bicharada. O que fazer? Só fazendo. Pronto. Obedecer a instinto. Programado. João Cândido gostava de ficar quietamente no meio do Cerrado. Ver. Briga por mulher, a preferida. Macho e fêmea. Achava que mulher era mais esperta. Escolhia o que ela queria. Mais bonito. Mais forte. Desprezava os mais fraquinhos. Não queria filho molenga. Para morrer nas garras de gavião. Ou com pedrada de Tonho e Zinho. Fêmea gostava demasiado mesmo de botar no mundo filhote forte e bonito. Para filho seu ter penca de mulheres. E, assim, roda de moinho do mundo ir girando.

Bicho homem saía atrás de fêmea qualquer. Não se contentava com uma. Capiau da roça. Tinha crença de que só ele fazia nos escondidos. Bobo. Mulher dele também saía com outros. Buscava os mais bonitos. Moços. Fortes. E ele não via. Mulher nunca canta de galo. Mesmo podendo. Aprontava as coisas no escondido. Comadre Teodora, mulher engenhosa. Arrumava filhos com outros roceiros e fazia compadre Zequinha cuidar. Penca de filhos. Cada um com focinho diferente. E o compadre na capina. Dias todos. Sol ou chuva. Para dar de comer aos filhos. Dos outros. Ele mesmo, João Cândido, dormiu com Comadre Teodora. Gostosura. E ela toda gentileza com o marido. Na frente dele.

Melro-chupim, parecido. Botava ovo em ninho de tico-tico. Filhos nasciam. Do chupim, bem grandinho. Do tico-tico, pequetitos. Quando pais saíam para caçar comida, chupim jogava o pequeno tico-tico para fora do ninho. E o casal cuidava que cuidava daquele filhote estranho e negro de brilhar. Canseira muita. Fome de num acabar. Esperto, um. Bocó, o outro. Galinha, tal qual. O que botasse no ninho ela chocava. Até ovo de ganso. E criava, como se filho verdadeiro dela fosse.

Pior comadre Maria. Casada de pra mais de vinte anos com compadre Tobias. Vaqueiro que nem ele. Da Fazenda do Coronel Valdir. Homem bom. Cuidadoso com os filhos. Com a mulher, então? De fazer inveja. Era perfume, peça de fazenda, prendedor de cabelo. Até correntinha de ouro deu. Gentileza muita. Correspondida. Querer de comadre pelo marido não tinha fim. Recebeu oferta num sem parar de sair com outros. Até mesmo de João Cândido. Nunca traiu.

Tratava seu homem melhor até do que tratava os filhos. Todo final de mês, Tobias recebia os cobres, os do Coronel e os dos porcos que criava e vendia, montava no cavalo baio, fogoso, e marchava para o entroncamento. Assoviando. De felicidade. De lá, pegava ônibus para Três Marias. Lugar de comprar presente para a mulher. Comadre Maria ficava chorosa no portão do rancho. Saudade de um dia. Sem o seu Tobias.

Houve vez que compadre Tobias voltou com ramalhete de flor. Rosas vermelhas. Comadre tinha flor de sobra no jardim. Na varanda, samambaia pendurada e imbé subindo nas paredes. Vasos de violeta. Dois canteiros bem cuidados ao lado da escada de entrada da pequena casa pintada de branco: um, de rosas; outro, de margaridas, begônias e lírios. E outro só de hortências. Tobias amalucou? Rosa vermelha é o que não falta na nossa casa. Tanta já tenho. Cismou. Cinco anos de cisma. Foi o tempo que ponta de desconfiança demorou em crescer. Contrariada, tomou decisão de tirar a limpo retidão de Tobias. Vigiar passeio do marido.

Chamou Quinzim, filho maior. Aprendiz de vaqueiro. Seguiram trilha de Tobias. Antes de chegar ao entroncamento, marido dela desviou o cavalo. Seguiu direto para o bar do Nagib. Cara de contentura muita. Ao entrar. Comadre apiou. Deu rédea da mula mansa para Quinzim segurar, debaixo de pé de ipê e atrás de uma toça de capim. Escondidos. Esperou muito pouco. Compadre Tobias saiu agarrado com mulher nova e bonita em demasia. Mercês. Desapareceu no Cerradão. Comadre rumou de volta para casa. Compadre chegou à noitinha com colar de lantejoula e ramagem de flor do campo. Toma presente mais lindo. Ela disse um obrigado sem jeito e triste. Parou de comer por vontade própria. Desdaquele dia. Tardou cinco semanas para morrer.

Fogo, Cerrado!

Cândido entendia o compadre. Ele fazia igual. O Cerrado é cheio de traição. De bicho homem e de bicho animal. Traição e guerra. Um tem que viver. Comer. E ter mulher. Muita e sempre. Os outros, também. Mulher mais ainda. Tinha só um ovo por vez. Escolher bem o par. Para filho viver. Entendia compadre Tobias. Não comadre Maria. Mas também? Boba. Podia vingar traição tapiando o marido. Ter tomado decisão melhor que morrer: enrabichar com amigo de Tobias, como ele, João Cândido; não aceitar pedido do compadre na hora de dormir; matar Mercês, inimiga dela; ou mandar Quinzim matar; botar, todo dia, remédio de acabar com praga no prato dele, BHC, quem sabe; fugir com outro homem, melhor pras bandas do Urucuia. Tinha saídas outras. Morrer, a pior.

O vaqueiro também não entendia direito jeito de ser de Madalena, empregada da Casa-grande. Bicho esquisito. Ela gostava num sem parar de homens. Até meninos. Parecia ser que tinha coceira. Prazer imenso de grande na hora de. Demais da conta. Igual Madalena havia não. Ela escolhia seus homens. Não tinha marido. Decisão de não aceitar ele, João, esquentava a moleira do vaqueiro. Procurava exemplo nos bichos do Cerrado. Para achar compreensão. Não encontrava. Sabia que nunca ia de haver no mundo mulher de buniteza igual. Era primeira e única. Por que não eu?

Pergunta sem resposta. Pensamento atormentador. De deixar homem louco. Ele, com vontade tanta. Ela, se fazendo de difícil. De custosa. Não sou lá de jogar fora. Nenhum pavão. Galo índio, sim. Forte, brigador. Sangue vermelho no pescoço despenado. Crista alta. Esporão de meter medo. Atenção?, presto a bicho mulher. Agrado aqui. Outro lá. Como galo de saco roxo, caço minhoca-comida e deixo para mulheres e filhos. Ataco filhotes de cobra cascavel no quintal. Mato e distribuo. Dou aviso de perigo quando vejo gavião voando baixo. Preparando ataque, mortal.

Eu, vaqueiro dos Gerais, faço isso. Tudo. E mais: acabo com a vida de bicho homem inimigo. Não tenho nada de próprio. As comadres todas gostam de minha carinheza. Por que não eu, Madalena? João Cândido não podia pensar em Madalena sem desvestir a mulher no pensamento. Pinto endurecia. Pior de tudo é que corpo da mulher grudou na cabeça dele. Que nem carrapato rudulero. Fincava as garras e ficava ali. Inchando. Crescendo. De vontade. Bicho de pé. Trem ruim. Mas gostoso de coçar na hora de dormir.

Esses pensamentos todos vaqueiro pensava naquele dia de sábado. Saiu da Casa-grande, passou na horta de Sinhazinha, ajudou Zefina na capina de limpeza dos canteiros e no conserto da cerca, visitou tapera do Nêgo Dolores para perguntar das roças de milho, prometer ajudar, ir ver juntos. Praga nova. Semente selecionada. Seria? Andou até o acampamento. Povo deixou porteira aberta. Animal ia de entrar na Rio-Brasília. Morrer.

FOGO, CERRADO!

Cavalo e boi desconheciam aquele risco preto, fedido e intrometido que cortava os pastos do Cerrado. Asfalto. Caçavam comida numa banda e noutra. Pasto é vida. Cruzavam sem pôr atenção. Vaca morria. E matava motorista descuidado e andador na banguela.

Fechou porteira. Fechou colchete. Tirou leite. Vacinou boi no tronco. Marcou garrote bravo. Tingiu berne de azul. Apartou vaca parida. Tratou umbigo de cria pra fome muita de urubu não atacar. Raspou clina de cavalo. Tudo no muque. Muque de carregar sete baldes de sal grosso para encher os cochos. Eram três. Dos grandes. Canseira sem-fim deve de ter vindo no depois. Sol quente. Esqueceu de pôr chapéu. Cheiro bom de bosta seca de vaca. Cama verde. Macia. Convidadeira. Sábado nos Gerais. Véspera de morte.

II

Zonzeira na cabeça. Buzina oca de Fenemê na banguela, descendo morro da Rio-Brasília, não afastou o zuim dos ouvidos. Negror nos olhos. Cigarro de palha, apagado, escorregava da boca. Olhos, de um azul fundo e frio, piscavam-que-piscavam já molengos. Conseguiam mal ver ondas de brilho que a terra dos Gerais solta em rebeldia a Sol demais. Tentou aprumar o corpo de seus dois metros. Pra mais. Balde pesava como se cada pedra de sal grosso barra de chumbo fosse. Briga contra a queda. Pende para a direita. Muda o balde para mão esquerda, a boba. Não era homem de perder. Nem para ele mesmo. Vento nenhum salvadero.

Correria de catar paina. Macia. Pipocada no chão. Apuro de Madalena. Dedos dela, de carinho, passando pelo meio dos fios macios do algodão quase. Grande árvore de gostosura. Ela saía de dentro do Rio Santo Antônio. Do meio do poço onde água formava redemoinho. Morada do

Diabo. Vestido de branco puro colado em peitos convidadeiros. Gotas de água caindo como leite dos bicos duros enrugados. Água fria. Usava rabo de saia, como em dia de noivado-casório. Mulher, como todas muitas. Virgem apertada. De infinidade de homens.

Aquele corpo quente e delicado no suave carecia paina pra não sofrer machucão. Braços longos de João eram que nem pés de jabuticaba carregados de fruta verde paina pipocada. Costas curvadas pelo peso em demasia dos sacos de linhagem. Abarrotados de bolotas de paina. Fiapo entrando pelo nariz. Não, saco melhor é o de farinha de trigo com o pozinho branco pra combinar com o vestido dela. Pinto subindo como paineira sem galho. Duro que nem jatobá.

Corpos afundados no colchão de paina. Corpo de Madalena era feito no de propósito para a maciez da paina. Dez passadas largas de cama na sombra boa da paineira. Carecia algodão verdadeiro para completar a gostosura. Povo da roça nem ia de desconfiar do roubo. Boa causa. Motivo mais nobre este. Dormir com Madalena. Brancura de roupa e vermelho escuro de pele açafrão. Vermelho tanto. Quase preto. Esticada. Couro de garrote ao sol.

Estrela de brilho de doer a vista acompanhando o andar lá dela de frouxidão e de convite. Nossa Senhora Madalena escondia a vontade de ter homem sempre nos olhos negros de tiziu. Língua correndo macia pelos lábios carnudos. Fogosos de menina-moça no primeiro dia de. Nariz arrebitado tremia. De vontade rebelde. E prazerosa.

Fogo, Cerrado!

Mãos passando na carinheza pelos peitos bem torneados como os morros do Cerrado, dos Gerais. Volteando o bico do peito. No devagarinho. Dedos de Madalena mais pareciam cavalo de olaria. Volteavam que volteavam aquele bico já durinho num sem parar nunca.

Mais paina, mais algodão da roça. Tirado o caroço pra não machucar mulher tão mais de linda. Bananeira dos doze anos, sem gosma nem mancha arroxeada. Molhada por dentro. Melhor que clara de ovo de galinha--d'angola. Cama de paina e algodão com lençol feito de saco de farinha de trigo. Preparada para. O vestido branco escondia, de mentira, corpo moreno de quentura. Mesmo ainda pingando água fria e clara do Rio Santo Antônio. Nuvem pra deitar. João Cândido desvestiu Madalena. De verdade. Contar não tinha como tanta buniteza.

Cabeça desgraçadeira. Negror nos olhos mais besta. Mentira mais verdadeira. Bem-te-vi na paineira. Bem te vi. Só no querer pensar te vejo nuinha na cama de paina-algodão. Trem mais bonito de gostoso na hora do desvestir. Corpo gingava convidativo na tirada do vestido--noiva. Vaca brava negaceando o pescoço pra trinchar o chifre. Curva de rio. Sombra do meio-dia. Santo Antônio me proteja de vontade tanta de.

Dedos compridos, finos e macios. Firmes em busca do pinto jatobá paineira para um roçar de leve. Dia-ano nos Gerais. Durar de sempre há. Tempo de dar ao tempo. Peitos explodindo, saltando oferecidos. Doces. Papos de anjo. Mel.

Lambança. Lambe as pontas empinadas. Duras. Goiabada-
-cascão. Querença de morder sem morder. Água na boca.
Pó de farinha de trigo amaciando o tocar. Talco Johnson.
Melaço. Garrancho matreiro furou aquelas ancas de carne
dura. Sangue e mel. Mistura melhor. Deus-mãe.

A língua caçando os ouvidos. Barulho do rio sumiu. De
buzina, também. Silêncio de mais meter medo. Fim de
mundo. Vaqueiro homem. Nossa Senhora procura todos
os buracos. Mama nos peitos do homem. Gostosura maior.
Todos os buracos. Coronel, vá embora. Hora mais besta
de aparecer. Foge, esconde e aparece. Brincadeira boba, sô.
No mais agora. Os dedos dela se encaixam no pinto-jatobá.
Segura suave e tira leite de mansinho. Teta. Pinto é teta.
Madalena bezerro parido recém. Chupa meus dedos. Juntar
sangue e mel. Esfregar no corpo todo dela. Lamber.

Paina muita tampa o nariz dele. Sufoqueira. Agonia
de morte por prazer tanto. Olhos sujos de talco. Poeira-
-areia-ardida. Algodão gruda no corpo. Meleira. Ai!,
Madalena. Coronel rindo riso solto. Olhos apertados.
Severino rindo. Os povos em volta rindo — povo do
acampamento, povo dele jagunço, povo da roça, povo da
carvoaria, povo escolhido, povo de Deus e povo sem povo,
o povo mesmo de Madalena. Riso tanto destapa o silêncio.
De doer fundo no ouvido. De cruzar os Gerais. De acordar
João Cândido no mais bom do dormir sonho.

Severino, safado. Matar Severino é ordem bem dada.
Só puxar do facão. Castrar primeiro. Queria ser o dono

definitivo de Madalena. Rei do acampamento de peões da Rio-Brasília. Desejo maior do safado era ter mulher Madalena de rainha só dele. Te mato, cabra da peste. É assim que os seus dizem. Negrura dos olhos começava a clarear. Inimigo é este mais jurado. Agonia de fiapos de paina tapando nariz. Até quando sonhar sonho de ter Madalena na cama sua? Fantasma de Madalena e de Severino. Presente!

Andar sem chapéu no Sol bravo dos Gerais só poderia dar nisso. Sonho de não poder cumprir. Sonho de acordar menino-homem na madrugada fria pra fazer as necessidades lá dele. Sonho de ver os trens das meninas trepadas nos pés de jabuticaba. Querendo ramo ser. Pinto explodindo na braguia. Ele, vaqueiro dos mais antigos, de novo menino naquele fim de mundo, Sertão? Pode ser não.

João Cândido esfregou os olhos com as dobras das costas das mãos no acordar. Olhos sonsos de sono. Piscar seguido. No abrir de vez. Olhos de nelore esquentado. Esquentado, mas preso com cerca de arame farpado. Olhos de garanhão. Domado. Traiçoeiros como os de onça. Espertos como os de raposa. Maus como os de gavião. Caça rareando. No cada vez mais. Olhar parado como o ar daquele mormaço de forno de lenha das tardes no começar. Vento sumiu. O Sol estava mais perto dos Gerais. Provocou cochilo de antes. Afastava, com abano desleixado de mãos, claridade de doer a vista. E o sonho de gozo extremado. Dormiu sono de sonho bem no meio do curral.

III

Vaqueiro caminhou do curral pra tapera. Nega Zefina devia de estar lá. Mulher só dele, capataz. Carecia sonho não. Podia bem matreirar com a cabeça. Fazer de Zefina como Madalena sendo. Se noite chegasse e não tivesse lua pra luz alguma entrar por fresta de greta para menino poder ver, Zefina ganharia peitos duros e bunda arrebitada de Madalena. Prazer muito demais teriam. Hipnotizador dava jeito de fazer isso. Viu. Em Paraopeba. Falava no ouvido de gente de seriedade. No depois, limão virava laranja. Cebola, abacaxi docinho. Confiou que podia enganar a cabeça dele mesmo. Zefina, de nunca falar, era bem capaz de nem guentar. Ai, Jão, faz isso comigo não!

Andar arrastado depois da zonzeira. Matera, que cobria pés finos e compridos do vaqueiro-jagunço, levantavam poeira vermelha. Amarelada pela areia do Cerrado. Seguiu pela estreita estrada de terra que saía da porteira da rodovia Rio-Brasília, cortava o acampamento, raspava cerca do curral, passava pelo rancho onde morava com Nega Zefina, Zinho e Tonho, mulher e filhos dele, pela tapera de Nêgo Dolores, beirava a horta de Sinhazinha até chegar à Casa-grande do Coronel. O caminhar era pouco. Distância de um grito de um lugar pro outro.

João Macedo Ferreira de Xavier Filho, conhecido pelas gentes todas como Coronel, era o patrão do vaqueiro e jagunço João Cândido. Pessoa de conhecimento. Quando recebeu visita do homem de verde, que veio para alertar sobre revolução comunista, contou que o Cerrado ocupava dois milhões e quatrocentos mil quilômetros quadrados bem no coração do território brasileiro. Não haveria Brasil sem o Cerrado para juntar e grudar todas as terras da nação. Minas, Bahia, Piauí, Maranhão, Goiás, Pará, Rondônia, Mato Grosso, São Paulo e Paraná estavam encravados na região das florestas anãs. Bolívia e Paraguai, também!

O homem de verde desenvolveu ideia de que a Fazenda Santo Antônio era lugar perfeito para os comunistas começarem a tomar o País. Foco catalisador! Contou para o Coronel que os agentes de inteligência do governo não despregavam o olho de ideia nova chamada guerrilha. Cândido, homem de confiança toda do Coronel, acompanhou conversa. Prestou atenção. Muita. Adiantou um quase nada. Não queria ser intrometido, perguntando explicação. Do jeito dele, concluiu que a Rodovia Rio-Brasília levou para o Cerrado uma cambada de gente ruim que Coronel e homem de verde chamavam de comunistas. E que eles queriam amarrar a mula deles na Fazenda Santo Antônio, arranchar, para depois ocupar o Brasil inteiro.

O vaqueiro tinha orgulho de seu País Cerrado sem mar nem floresta de não entrar nunca. Morreria pelo Cerrado. Para o Cerrado. Sobreviver. Encheu os peitos quando homem de verde, pessoa sabida demais, contou que o Cerrado já foi maior uma dúzia de mil anos atrás. Tanto tempo não cabia na cabeça dele. Na de comadre Sá Joana, podia até. Frio em demasia e falta de chuva dos tempos de antigamente levaram o Cerrado até a beirada do Rio Amazonas. Depois, o Sol esquentou e destampou a chover. Floresta fechada tomou as terras do Cerrado. Sertanejo e fazendeiro estavam recuperando terra do cerrado conquistada pela mata fechada Amazônia. Terra de pouca serventia. Só mata. Fechada.

Coronel emendou explicação do homem de verde contando que os parentes dele, fazendeiros todos, entraram bem no meio desta briga. Compraram imensidão de terras na floresta e começaram a derrubar, no muque do machado, grandeza de árvores para abrir pastagem para nelore. E para o Cerrado crescer de novo. Ocupar seu território de antes. Coronel fez previsão de que a vaca estava começando a ir para o brejo porque estradas de ferro e de asfalto fizeram do Cerrado um balaio de gato. Povos invasores chegavam de tudo quando é lado querendo cantar de galo nas terras dos fazendeiros. Os comunistas eram ameaça maior. Homem de verde deu seu de acordo.

Coronel só implicava com o homem de verde quando ele chamava tudo de Cerrado. Terras de cultura nunca hão de ser parte. Na cabeça dele, eram verdadeiramente ilhas no entremeio dos campos sujos e limpos. Fazenda Santo Antônio tinha forma de cunha. Era de veredas poucas. Veredas das de sempre verdes, só perto da casa do Mané Bentinho. Cinco léguas para os lados do Rio do Sono, cercanias da fazenda do compadre Valdir, amigo de hora toda do Coronel.

Bentinho, pai marido da mulher mais generosa e linda do Cerrado. Fogosa! Sertanejo Bentinho tinha penca de meninos. E meninas. Inaugurou a filha Mercês. Quis fazer dela pra sempre a segunda mulher. Coronel deixou não. Preferência seria dele. Pediu trabalho para a menina no restaurante do turco Nagib. Na beira da estrada. Dentro das terras dele. No sem pagar.

Fim de semana era dos engenheiros. Dias todos, do Senhor dos Gerais. Se Coronel descuidava, pegava carona para dormir em cama apertadinha de boleia de caminhão. Gostava dos motoristas do Sul chamados gaúchos. Homens de buniteza que nem a que João Cândido devia de ter tido. Gostava do vaqueiro. Dormiu com ele debaixo do mangueiral da casa de Sá Joana.

FOGO, CERRADO!

Depois de gozo muito, ganhava dias seguintes balaio de pequi, capanga de araticum e de maracujá. Cachos de banana e de coquinho. Vaqueiro gostava de lambuzar a menina de fruta no antes de. Descascava manga espada e passava de mansinho sobre o corpo quente dela. Ou laranja-lima. Lambia no depois. Delícia demais. Doce demais. Cheirosa demais.

Quando Mercês visitava a casa dela, era do pai. Sempre no escondido do Coronel. Bentinho, homem como outro qualquer, tratava a filha com carinho até bem maior. Cuidava para não emprenhar a menina. Fazia que tivesse gozo muito só no tocar. E ser tocado. Arranjava sempre jeito de escapar do restaurante para ficar relando com o pai. No princípio, povo falou mal. Depois, esqueceu. Era o normal do Sertão.

Mãe se importava não. Também? Até dava alívio. Não careceria carregar outro filho na barriga. Sete já eram de dar canseira. Cinco, mulheres. Mercês, a maiorzinha. Ia pelos quinze. Cara arredondada de índio como a mãe. Pele de negro como o pai. Barriga com banha pouca tremulava no andar pelada dentro de casa. No restaurante do Nagib, vestido de chita. Nada por baixo. Cheiro de alfazema. Nos interiores. Única existente para caminhoneiro entre Três Marias e Paraopeba. Verde vereda.

João fazia comparação de Madalena com Mercês no andar até o rancho. Rancho que construiu só e no muque. Toras de árvore do Cerradão, esteio. Tiradas do capão. As do Cerrado eram tronchas. Paredes de varas entrelaçadas. Mistura de argila com bosta seca de boi cobria as frestas. Medo muito de barbeiro tinha. Bicho mais traiçoeiro que cobra-coral. Ela, pequena. Preta e vermelha de couro. Bote de morte. Perna apodrecia. Ele, barbeiro, não. Tingido de preto-cinza. Esperava, amoitado, noite chegar. Para beber sangue. E passar micróbio preso no cuspe lá dele. Coração aumentava que aumentava de tamanho. Doença de Chagas chamada de. Morte no demorado. Barbeiro, não tocaiava mais das frestas. Lugar de esperar pelo próximo condenado era o teto de folhas de buriti. Embira juntava as folhas do coqueiro. Telhado. Esconderijo de bichos insetos. Severino parecia embira. E barbeiro.

Severino queria porque queria juntar todos os povos contra o Coronel. Passar doença de palavrório comunista. Enchia de bobagens, num sem parar nunca, a moleira dos povos. Corações, também. Coração aumentava o tamanho da vontade de ter terra própria. De fazer reforma agrária. João seria misturança de cobra-coral com barbeiro para acabar com missão do comunistinha. Ia de chupar o sangue dele direto do coração. Usar os dentes da coral como seringa. Amarrar os bagos dele com embira. Pendurar o invasor de cabeça pra baixo nos altos de um pé de jequitibá. Deixar curtir ao Sol até que perdesse vontade de bulir nos Gerais. Ou até morrer. Mais melhor.

Fogo, Cerrado!

Dentro do rancho não estava Zefina. Preguiça de ver se aguava horta. Tirou a camisa. Barriga magricela amarrada com músculos todos à vista. Arame grosso trançado. De aço. Formando tela de galinheiro como se para prender ema fosse. Homem seco. Varapau. Levava sempre, preso num barbante no cinturão, facão de meio metro enfiado em gasta bainha. Afiado em pedra de ume. Aquela fincada na beira do barranco do Rio Santo Antônio. Cortava fio de cabelo. Fazia barba até. Cabo de osso preto pronto pra pular fora. Facão de vaqueiro-jagunço tem de estar preparado pra tudo: picar fumo e matar. Preciso for!

Os Gerais dele vaqueiro estavam mudando de pele. Que nem cobra. Perdia uma. Nascia outra. Parecia igual. Era não. Ou rabo de lagartixa. Arrancada em briga por mulher. Ou por garra de gavião. Ficava com um toco. No depois, crescia. Igual ao antigo. Era nada. Atrás de estrada com asfalto vinha de tudo: caminhão num sem parar, tirando a gostosura do silêncio feito por bicho grilo e uivo de lobo; povos invasores que não sabiam falar a língua do Cerrado; gente de cidade cheia dos cobres para comprar terra cortada pela rodovia; e, pior de tudo, as brigas de patrão e empregado das cidades grandes. Severino era o guia da boiada. Tinha o berrante na mão. Só que estava condenado. Jeito nenhum de mudar sentença. Cerrado muda de pele e perde o rabo. Parece outra terra. É nada!

O Cerrado era o mesmo de antigamente. Pensamento de estrangeiro nascido na beira do mar, na caatinga ou nas serras altas do Sul. Engano dos grandes. Nunca iam de entender que o Brasil era soma de três países. Cada um com seus limites. Com seus bichos homens e bichos animais. Próprios. Com suas plantas. Próprias. Toda gente, distinta uma da outra. No pensar, no vestir e no andar. No jeito de ser.

Fronteira do país Cerrado de João Cândido tinha mais de milhar de milhar de léguas. Alqueire, então, era para mais de milhão e meio. Mercês era a prova da invasão dos estrangeiros vindos de países outros. Era pra ser moça recatada, compartindo o pai com a mãe. Com Coronel. Com vaqueiro. No futuro, com Tonho e Zinho. Estrada trouxe o turco Nagib, os caminhoneiros de cabelos alourados e olhos azuis e os engenheiros. Ah, os engenheiros e seus cobres! Mercês ficou com um pé lá, outro cá.

Sertanejo tinha escolha não: aceitava a mudança no lugar de sempre dele ou brigava contra. Invasão estava deixando os Gerais com a pá virada. Risco muito de invasores trazidos pela Rio-Brasília. Perigo maior que jararaca, que jaracuçu, que cascavel, que barbeiro ou onça-pintada. Gente de todas as bandas chegava esfomeada. Como comedores de ovo de surubim. O grande peixe, coitado, botava que botava ovo num sem parar. Pra mais de milhão. Aparecia de tudo quanto é bicho para comer aquela enormidade de ovo grudado. No final da festança, dois, que muito, filhotes de surubim

FOGO, CERRADO!

nasciam. Restavam. Viviam. Os invasores do Cerrado iam não deixar nem mesmo esses dois pequenos surubins viverem.

Coronel, João Cândido, filhos dele, povo da roça, sertanejo e meeiro, posseiro, vaqueiro e jagunço tinham que morrer se preciso fosse para cortar o caminho dos povos que vinham do Norte, do Sul e do Mar-Litoral que nem gafanhotos. Comendo a comida deles. Ocupando suas terras. Fincar pé era ordem que corria de boca em boca. Opção de futuro seria o de comer lavagem. Comida de porco com resto de tudo pra ser jogado fora. Era o que ia sobrar para as gentes do Cerrado. Se sobrasse.

IV

Os convidados de JK, gente importante de Belo Horizonte e do Rio, viriam pela nova Rio-Brasília e, meio caminho andado, cruzariam a ponte do Santo Antônio pra ir à festa de inaugurar a nova capital do Brasil. A Companhia que construiu a estrada fez casa boa para abrigar o povo do acampamento. Gente muita, vinda do Norte. Casa de madeira, sem fresta, para barbeiro não entrar, morar e matar. Capaz de segurar o calor do lado de fora. Ou frio muito. Telhado de zinco. Vaso de sentar. Não como os buracos- -fossas. Fazer era no agachado. No fedido.

Se Coronel deixasse, seria ali o nascedouro da Vila de Santo Antônio. Casas enfileiradas. Com rua no meio. Coronel, quando passava com seu caminhão Bedêforde pelo meio do acampamento, tinha quase que pedir licença para povo estrangeiro. E a terra não era no todo dele?

Arremedo de cidade nos grotões das Minas Gerais. Cidade-vila que não ia de nascer no querer dele.

Povo do acampamento morava depois de passar o curral, quase beirando o asfalto. Pedreiros, ferramenteiros, carpinteiros, soldadores, armadores e peões. Uma enormidade de gente. Os medidores de distância e de curvas, apontadores, fazedores de contas, engenheiros, mestres-de-obras e tratoristas viviam do outro lado da estrada. Eram não, de verdade, parte do povo do acampamento. Dever deles: pôr ordem na jornada da gente toda e agarrar o trabalho mais complicado. Calcular. Medir. Ler desenho de mapa. Jeito de ser da curva. Pra caminhão não capotar. Não vieram do Nordeste ou do Norte para construir a Rio-Brasília. Eram de Belo Horizonte e do Rio. Um que outro de São Paulo. Tinham dinheiro. Vivo.

No fim de semana, iam para o bar do Nagib. Beber Brahma gelada. Tomar Mate Couro e Crush. Grapete! Matar saudade muita dos filhos. Sozinhos com mães deles nas cidades grandes. Sábado inteiro num sem ter-o-que-fazer. Só bebida matava tristeza. Não eram do Cerrado. Gostavam da bagunça de suas cidades. Estrangeiros no Sertão. Todos. Depois de dúzias de garrafas de Brahma, já esquecidos das famílias no distante, fuxicavam sobre a vida dos povos dos Gerais.

Vozes engroladas de felicidade de mentira nas tardes-noites quase vazias dos fins de semana do Cerradão. Deitavam falação sobre a briga feia do Coronel com

FOGO, CERRADO!

Severino, líder do povo do acampamento. Isto ainda vai dar em morte. Aos montes. Há que se tomar muito cuidado. Povos bravos estavam no começar de uma guerra. Eles construíram as casas do acampamento, de onde peão não queria mais sair. No princípio, Coronel ficou na admiração e nas palavras elogiosas para engenheiros abençoados. Ele endoideceu mesmo com o diretor da Companhia quando viu que o povo do acampamento estava no mais decidido a não arredar pé de suas terras. Ficar no para sempre nas casas bonitas da Companhia. Coronel era ameaça pura. Verdadeira. Ou dá as casas para os de minha terra, meus povos, ou passa logo a patola em cima e derruba tudo, seu moço. Cria confusão não. Pare de me insurtar. Ponho cês tudo no bolso. Haverá morte muita, compadre.

O diretor da Companhia recebeu aviso de Coronel. Prazo para picar a mula termina amanhã. Domingo. De manhãzinha! E ameaça de Severino. Se derrubar nossas casas, morre. Medo teve. Preferiu dar ordem para povo comandado seu apurar embarque nos caminhões e camionetes. Rumo a Belo Horizonte, na madrugada seguinte, domingo. Antes de faísca de ódio botar fogo no Cerrado. Tempo esquentar.

Domingo seria o primeiro dia de felicidade geral dos engenheiros. Alegria verdadeira. Ano e meio metidos naquele fim de mundo sem poder nenhum de apartar briga de povos de braveza pura. De rancor muito no coração. Saudades iam de ter da cerveja do Nagib. Dos peitinhos da filha de Bentinho que servia a todos, em fila. E até do silêncio pensadeiro dos Gerais. Estrada outra, por perto, não havia para ser construída. Patos-Pirapora, de terra. Sem plano para ganhar asfalto.

Casas do povo escolhido para comandar a obra já estavam no chão. Povo do acampamento quis cruzar o asfalto e ocupar tudo antes do desmonte. Coronel deixou não. Vistoriou a derrubada. Estrada pronta, só ir embora. Disse aviso montado no cavalo Ventania. Lá de seu alto. A engenheirada sairia da sua Fazenda Santo Antônio. Nos finalmente. Deixava dor de cabeça muita pra trás. Haveria de haver morte! O povo do acampamento não ia sair na facilidade. Decidido estava de ficar. Pra sempre. Decidido mais ainda estava ele, Coronel. Não iam de ficar. Pra nunca. Não iam de virar frieira dos Gerais. A de nunca acabar. Ir comendo no meio dos dedos e, depois, até a unha mesmo. Do dedão. Não permitiria comunista em sua terra. Ainda mais um comunista como aquele Severino. Cabeça-dura. Brasília não cabia mais peão. Pena.

Coronel estava de birra de nunca acabar com aquele povo do acampamento. Tinha que sair porque tinha. E tava acabado. Naquelas terras, ele rei-juiz-soldado-general-governador-escrivão. Era a lei. E a lei mandou o povo do acampamento sair. E o povo, desobediente na perigosa mansidão dele, decidiu ficar. Coronel subia nas paredes. Conversava sozinho. Gesticulava. Gestos descordenados, feitos enquanto dirigia o

FOGO, CERRADO!

Bedêforde. Gritava o dia inteiro. Era só passar na frente dele para ser azucrinado.

O povo do acampamento devia de sair de lá, de suas terras, por bem ou por mal. E uma morte a mais não ia de mudar nada. Seis do acampamento sumiram. Povo pensava que tinham voltado para o Norte. Que nada! A morte de Severino podia assustar eles todos. De vez. Se alguém do acampamento deve de morrer, que morra logo. E que tenha um nome: Severino. Decisão de Coronel. Naquela noite, João Cândido e Nêgo Dolores iam receber as ordens de execução. Coronel escolheu direito o homem para morrer. Pra amedrontar. Que morra Severino. Culhão roxo tinha de sobra para mandar matar comunista.

Povo não arredava pé do acampamento. Só com morte de Severino a situação ia de mudar. Defunto o agitador, era só passar o trator em cima das casas deles. Ou botar todos para correr. Entregar moradas para povo seu de confiança muita. Os estrangeiros sairiam em disparada pelo asfalto quente da Rio-Brasília. Coronel não queria ter mais ninguém ali, em seu Gerais, ocupando suas terras.

Decidiu usar lei própria no dia seguinte. E, para reforçar, ia pedir emprestada a lei do governo. O homem de verde já devia de ter saído de Juiz de Fora. Quem sabe quase no chegando estava. Combinado foi que comandasse os soldados de amarelo de Montes Claros, Pirapora, Paracatu, João Pinheiro e Patos na retirada dos ocupantes clandestinos. Se confusão muita houvesse, pedia um helicóptero para tirar Sinhazinha e ele, Coronel, da fazenda. Até os soldados de amarelo terminarem com a limpeza de suas terras. Estava tudo acertado. Iria para Paracatu. Lá estaria o DC-3 do presidente. Esperando por.

Coronel contou segredo todo para Tonho, filho de Cândido. Escolhido já futuro jagunço. Sucessor. Falou de receio muito de que palavra de político não fosse cumprida. Governo costumava mijar pra trás explicou. Gostava muito do menino. Confiava nele. Pensou em adotá-lo. Como filho. Faltou coragem de pedir. João Cândido ia dizer quero não, sô. O menino tinha jeito certo para tomar conta de suas terras. Na chegança da idade. Esperto. Leal. Diferente dos filhos dele. Não andavam descalço. Não montavam cavalo em pelo. Estudavam em colégio de padre. Frouxos. Sinhazinha protegia. Não falavam grosso. Como Tonho. Filho do vaqueiro era garantia certa de futuro dos filhos dele.

O menino quis saber mais. Coronel contou o que ia de acontecer depois da morte de Severino. Tropa chegando, atirando, matando povo rebelde. Avião-caça despejando bolas de fogo. Soldado com arma muito mais matadora do que filobé. De pipocar tiros num sem parar. Seguidamente. Tonho imaginou tudo acontecendo. Tropa ia chegar junto com a frente fria anunciada. Viu as quatro rugas de preocupação na testa do Coronel. Preocupa não. Vão estar aqui na hora aprazada. Dou garantia.

Fogo, Cerrado!

Coronel disse ao menino que o que não aguentava mesmo, um dia mais que fosse, era cruzar o acampamento com o Bedêforde ou com a Estudibeiquer e ver aqueles olhos de ódio muito saindo de cada fresta de janela que se fechava enquanto passava. Acinte demais, Tonho, meu filho. Humilhação pura. Como nunca havia sofrido na vida. Seu povo era do mais respeitoso. Prefeito, delegado, médico, advogado, dentista, veterinário, agrônomo e até mesmo aquele padre esquisito de João Pinheiro falavam com ele em voz baixa. Donos de loja e de posto de gasolina tiravam o chapéu, colocavam emborcados contra a barriga e baixavam a cabeça quando cruzavam com ele no comércio da cidade. Como vai o senhor, Coronel? E a patroa? Roceiros, carvoeiros, boiadeiros e comadres o respeitavam. Demais!

Quantas famílias ainda estavam ali? Tonho não sabia responder. Nem ele mesmo, Coronel. Doutor advogado, o que conseguiu mandado de reintegração de posse, disse que eram duzentas. Como as mulheres pariam que nem gambá, devia de ter o dobro que mais. Na sua fazenda. Isto, sem contar a velharada e os parentes que não paravam de chegar nos paus-de-arara. Enxame. Coronel pensava que duma hora pra outra iniciariam ataque assassino como o de abelhas africanas esganadas de fome.

Compadre Arlindo, homem bom e trabalhador, morreu de tanto levar picada. Feras voadoras ferroaram sem dó. Nem piedade. Num sem parar. Coronel ainda levou o amigo para hospital de João Pinheiro. Adiantou, não!

Tonho quis saber mais. Abelha daqui era mansinha. Veio das Europa. Aí, inventaram de fazer cruzamento com as trazidas da África. Terra de onde vieram os negros. Escravos. Abelha de atacar em batalhão. Tropa. Matar gente e bicho. Veneno muito do ferrão podia de ser igual ao de jararaca. O povo do acampamento era este enxame, Tonho. Perigoso. Ardiloso. Traiçoeiro. Não mais do que o senhor, trucou, orgulhoso, o menino.

Gente que só dava prejuízo. Esbravejava o Coronel sem assuntar o dito pelo menino. Não havia mais dinheiro de Companhia, não havia mais trabalho. E aquele povo queria fazer do acampamento uma cidade. Cidade dos miseráveis. Cidade de nordestinos em suas terras? Só depois de morte. Muita. À noite acertava tudo com João Cândido e Nêgo Dolores.

No domingo cedinho, as tropas iam de chegar. Combinado, combinado estava. Não negariam fogo na hora da precisão. Os engenheiros e sua gente já estariam pras bandas de Três Marias. Este povo do acampamento restante, malcriado, ia ver o que era ódio muito de Coronel. Ofereceu o braço para o menino ter apoio. Jogou ele na garupa do cavalo Ventania. Galopou para a Casa-grande.

Zunir do vento não dava para seguir conversa direito. Coronel gritava. Sei que vão vir. Apalavrado no fio do bigode. Major não trai acordo de irmão. Balanço do cavalo fez voz de Tonho sair que nem a de gaguinho. Se trair, Coronel, importa não. Eu cuido do senhor. De suas terras. Pódeixar. Coronel puxou as rédeas do Ventania. Diminuiu a marcha. Para poder continuar trocando ideias com Tonho, menino muito mais esperto do que marmanjo de cidade com título de doutor.

O acampamento bem que daria uma cidade. Era já semente brotada. Na beira do seu Santo Antônio. Água farta. A rua central estava feita. Maior que a de Varjão. Mas como pode uma cidade sem povo de dinheiro? Sem banco. Bem que pensou em lotear o acampamento. Mas aqueles homens chegaram pra ficar no sem pagar. Cidade sem doutor. Dinheiro muito quem traz é dinheiro.

Só gente faminta no depois da retirada da Companhia. Gente que beberia a água pura de seu rio. O que o senhor não sabe, confessou Tonho com ponta de medo de contrariar o Coronel, é que comércio muito já lá havia. Lá dentro. No escondido. Vendinha de badulaques. Armazém com caderneta para anotar compra fiada. Barbeiro. Costureira. Parteira. Mascate. Coronel nunca conheceu as entranhas da Cidade do Povo do Acampamento. Nojo? Medo? Ódio? Tonho entrava no território proibido. Vez que outra. Para encontrar moça ajeitada.

Coronel sabia por saber é que suas terras estavam ocupadas. Cada dia mais. Comunistas. O acampamento começava depois da cerca da rodovia, dentro mesmo da Fazenda Santo Antônio. Dele! Como é que pode? Sem Companhia para pagar no certinho, todo final de mês, iam de querer ser coronéis. Têm de ser expulsos. E vão ser. Amanhã de manhã começa a guerra.

Tonho contou histórias que ouviu das moças que dormiu com. Povo do acampamento tinha enfrentado dureza maior antes de chegar aos Gerais. Chuva nenhuma no Sertão deles. Morte muita de tudo vivo. Aprendeu nas trilhas do caminhar entre espinhos secos o como escapar do minguar das águas. Fugir para o Sul era escapatória única de esperança. Tonho sentiu, pela voz do Coronel, um tico de admiração aparecer e desaparecer, no fundo dos olhos do velho senhor, por aquele povo feito de sofrimento muito. Emoção no mais contida. No limite. Ver a braveza do galo índio enfrentando o gambá invasor de galinheiro era uma coisa. Outra, comunista querendo tomar tudo de seu. O povo, com bosta comunista na moleira, fede. Como gambá, Tonho. Pior.

Este povo do acampamento num tem nada de muito bobo não. Ventania marchava bonito. Gostoso. Balançar de rede. Tonho soltou a mão do currião do Coronel, que matutava alto. Decidiu contar para o menino outro segredo dele. Guardado no fundo do cofre da memória. O dos diamantes do Santo Antônio. Falta pouco para descobrirem chaminé. Kimberlito, meu filho. Mais um motivo pra gente lutar até a morte. Garimpeiros do Nordeste estavam chegando ao de mansinho. Ocupavam lugar dos da Terra, que se cansaram de tanto peneirar por nada. Dolores viu dois invasores tirando cascalho da beira do rio, logo antes da cachoeira. Acharam umas

pedrinhas de nada. Xibiu. Riram riso muito. Estes fiés-
-da-puta deviam de saber mais.

Passei, Tonho, sete anos com uma capanga presa na cabeça do arreio catando pedra, mandando analisar em Belo Horizonte, em busca do tesouro escondido na chaminé de diamantes. Geólogo amigo meu, filho, segredou que kimberlito devia de haver por perto. Diamante de nunca acabar. Começava à flor de sua terra. Embrenhava para as profundezas. Milhões de mil réis. Uns africanos branquicelos no demais vieram com o geólogo propor sociedade. Gastaram tempo explicando numa língua esquisita que Coronel não tinha dinheiro para investigar lugar certo das riquezas. Carecia de capital muito. O Senhor dos Gerais se ofendeu. Botou os gringos pra fora de sua mina de Santo Antônio. Que fossem caçar diamante no mundaréu deles lá. Gringos parecidos, na altura, com o jagunço Cândido.

Tonho gostava do jeito de vestir do Senhor dos Gerais: camisa de mangas compridas, dobradas até o cotovelo. Calças largas. Folgadas. Currião grosso apertado. Gostava mais ainda dele porque sabia fazer de tudo. Motivo de admiração e respeito muito do menino e dos povos dos Gerais. Nasceu no Sertão. Era o Sertão. Não só mandava. Sabia o fazer. De tirar leite a capar porco. Homem magro e firme. Como as gentes do Cerrado. Um pouco pra lá dos 40. Corpo empinado em cima do garanhão Ventania. Campeava sem lerdeza. Contava e recontava seus bois.

Cabelos espevitados. Cobertos por chapéu sempre. Olhos da cor de cinza. Negócio dele era ver as terras produzindo feijão roxinho, arroz e soja. Sabia melhor que ninguém hora de plantar. Errava pouco. Demais. Erro? Banco Hipotecário não perdoava. Jamais. Passava aperto. Recuperava tudo na safra seguinte. Conhecia jeito novo de enxertar vaca. De produzir leite e boi de engorda. Falava baixo e grosso no normal. Quanto mais baixo a voz, mais perigoso era. Chocalho de cascavel. Aviso de perigo. Mortal. Tinha apego grande por suas posses. Ninguém ia de tomar. Nunca.

Coronel era um homem esquisito. Dividido no exato ao meio. Como a fazenda dele. Divisa das bacias do Rio Paraná e do São Francisco. Meio exato do Brasil. Consequência muita na cabeça dele. Era: índio e branco; mineiro e sulista; liberal e conservador; Montes Claros e Uberaba; milho e feijão roxinho; campos limpos e campos sujos; zebu e curralera; leite e café; terra muita e terra pouca; léguas e hectares; Grande Arquiteto e Deus; quiabo e cenoura; roceiro e vaqueiro; cerca de arame e vastidão; Dolores e Netim; córregos e rio grande; pacu e dourado; bicho homem e bicho animal; jiló e beterraba; poder e despoder; terra vermelha e terra preta; rapadura e geleia de mocotó; veredas e terras secas; mãos calosas e mãos de moça; pequi e jabuticaba; mula e manga-larga; o antigamente e o hoje; angu e farofa; Juscelino e Carlos Lacerda; e mulher beata e homem maçom. Se sofria andando no fio do facão de

João Cândido, não revelava. Para ninguém. Nem mesmo para ele, Tonho. Comunista era o que não era.

Nos filmes de faroeste que Coronel assistia prazeroso, a terra não tinha dono no seu princípio. Quem chegava ia ficando. Com as terras e os ouros. As do Santo Antônio comprou e pagou. Caro. Dinheiro da herança dividida do pai dele, Dom Xavier. Já era o proprietário no dizer do Cartório. Das terras e dos diamantes. Quando descobrisse a mina, se acertava com o presidente. Pagou três mil contos de réis por aqueles cinco mil alqueires de terra boa. Tudo escriturado direitinho. E aquele povo abusando de sua boa vontade.

Um mês, estrada pronta, ponte pronta, e eles ali, sem mover um pé. Seu poder era desafiado. Eles iam de se unir ao povo garimpeiro chegante. Todos da mesma laia. Corromper povo da roça. Conquistar povo escolhido dele, jagunços. Engabelar povo carvoeiro. Queriam, no mais querer, tomar tudo dele. Amanhã... Coronel encostou espora na virilha de Ventania. Cavalo apressou o passo. Galopou até chegar à Casa-grande. Tonho ouviu última recomendação: Carecia acender fogueira para encontro de confirmar ordem de morte, logo depois do anoitecer. Raiva muita de Coronel dá precisão de morte. O menino quase homem estufou o peito. Quem sabe Coronel convocaria ele para acabar com a vida de Severino? Intrometido. Enxerido. Dormia com Madalena. Queria ela de sua propriedade única. Privada!

V

Matar comunista Severino. Ordem a ser recebida. Do Coronel. Por vaqueiro. João Cândido. Terra pra quem trabalha, não é? Reforma Agrária? Ideia de outras bandas de mundo num iam de vingar nos Gerais do Coronel. Liga Camponesa. Linguajar de doido bravo. Doido manso a gente aguenta. Doido bravo e comunista a gente mata. Como cachorro. Diabo. Ele queria tomar dele jagunço até o sonho. Queria desapropriar Madalena do sonho dele. Mulher própria tão somente no sonhar. E no quase. Não permitiria nunca que fosse cadela de comunista. Apenas passando por cima do corpo dele, Cândido, Severino transformaria Madalena em faladora de sindicalização rural. Tá doido, sô? Palavreado sonso. Povo jagunço num fala muita palavra. É de economizar. Contrariar lei de Coronel ninguém vai de nunca não.

A mão grande, muito branca, cheia de perebas entre fios de cabelo amarelados pelo queimar do Sol, tremia de raiva ao pegar o fumo de rolo. Matar Severino no quanto antes. Jeito de aliviar a mente. Poder dormir e sonhar sonho verdadeiro com os peitos empinados de Madalena. Com os bicos durinhos. Sem ameaça de comunista. Coronel chama de vermelho o homem defensor de criar uma Superintendência de Reforma Agrária. Supra é comunismo. Reforma agrária é violar lei dos homens e de Deus. O rolo de fumo escorregava da mão de tremura que nem tivesse embrulhado em gosma de quiabo. Olhar de olhos de morte. De gavião antes de agarrar e picar, estraçalhando, pintinho quase frango. Pensamento em ontem. Raiva tanta.

João Cândido firmou os dedos e começou a picar o fumo de seu pito. Tinha daquele lá na venda do entroncamento Pirapora-Patos-Belo Horizonte-Brasília. Fumo goiano dos bons. Bom, mas fraco. Comprou o último pedaço. Gostava mesmo era do preto, saciador. Sem muito tratar. Fumo quase virgem. Natural. Madalena era assim. Não carecia empetecar-se toda para dar desejo muito. Capaz até de batom, rouge e pó de arroz tampar a formosura dela. Vaqueiro lembrou-se das éguas filhas de Ventania. Para fazer comparação. Cada uma mais bonita do que a outra. Imagina elas com beiços pintados de vermelho urucum. Mancha preta feita com carvão em cima dos olhos! Vaqueiro deu riso curto e envergonhado. Para ele mesmo.

Fogo, Cerrado!

Começou a desvestir Madalena. Ver lá no fundo da cabeça ela correndo pelo pasto. No entremeio de flor do campo. Margarida amarela formava tapete. Mode evitar machucão nos pés em ponta de pedra. Pensamento empacou nos pés. Curva da sola. Dedos longos. De pura delicadeza. Ladeira suave para subir o calcanhar. Peitos do pé. Peitos. Pinto balangou. Deu tapa no rosto dele mesmo. Acorda, homem. Hora disso não! Mulher generosa de Montes Claros vinda. Mulher virgem. Embora não. Apertada, sabia. Severino, maldito, contou. Fumo goiano prestava pra matutar. Afastar a pressa de matar o comunista no agora.

Tinha muito que matutar. Pedacinhos de fumo foram caindo dentro da mão em forma de concha. Facão guardado. Uma amassadinha. Palha curvada saía de entre os dedos. Só enrolar. Passar cuspe grosso pra grudar. Cuspe gosmento. Preguento pra palha não abrir. Tirou do fundo da gibeira a binga dourada. Pancada rápida e firme no pequeno espaço de pedra de fogo. Algodão chamuscado agarrava faísca. Pronta para acender pito bem no depressa. No depressa não ia de matar Severino. No depressa não ia de dormir com Madalena. Tomou decisão. Ia caçar a mulher antes de matar Severino. Nos campos Gerais, primeiro. Depois, encantoar a moça na mata fechada. No capão. Ou no poço do Santo Antônio. No final, seria toda sua num dos córregos muitos do Sertão. Queria numa enormidade aqueles bicos de peito durinhos, cercado por uma rodela arroxeada, macia e bonita. Flor de maracujá.

Cheiro gostoso e doce do goiano se misturava com o cheiro azedo do Cerrado. Cheiro bom pra moleira vaguear solta, pra imaginar. Homem do Sertão, dos Gerais, não pensa. Dito é de Severino. Fié-da-puta nada sabia das gentes do Cerrado para ficar falando mal assim de graça. Pensa, sim. E muito. Pra dentro dele mesmo. O que o desgraçado conhecia de morador daquelas bandas? Povo jagunço não pensa. Repetia num sem cansar o estrangeiro comunista. João vivia a matutar coisas. Até passado da conta. Pra cada ideia, uma baforada de cheiro goiano. Cheiro do cão comunista era de enxofre.

Pena Zefina não estar agora com ele ali pra sentir o cheirinho verdadeiro do goiano. Ela ia de gostar. Pedir um, pitar também. Poderiam matutar juntos. Não queria mulher metida naquilo. Coisa só pra homem. Zefina era nascida mais pra cuidar da horta e dos meninos. Catar lenha. Cozinhar. Parir. Mandar. Com os olhos. Ele, não. Ele era João Cândido Ferreira Neto, capanga e matador de morte matada. Bisneto do Coronel Joaquim Ferreira. Do pai não herdou posses. Só profissão. Ferreira Filho, o Candim, já nasceu capataz. Capataz e jagunço de novo Coronel. Se dinheiro tivesse herdado do pai, pouco que fosse, fugia com Madalena para Mato Grosso. Se quisesse ela ser dele mulher. Ia de querer. No muito.

Madalena e Zefina. Uma, toda carne, sorriseira e mundeira. Esticada, peitinho duro. Bunda arrebitada. Boa demais de apertar com força toda. Tonho, menino dele, apertou. Usou força de agarrar garrote no curral pelo pescoço e tombar no chão. Segredou para Zinho. Irmão também apertou. Devolveu segredo: ficava tesa, corpo como mourão, aroeira, na hora do quanto mais. Os filhos de João Cândido dormiam juntos na cama feita de folha de coqueiro amarrado com embira. Um com a cabeça no chulé do outro. Segredavam tudo, ouvindo piar de coruja e uivo de lobo. No colado à cama dos pais. João escutava o contar dos filhos. Raivoso. E invejoso.

Madalena gostava de dar prazer para menino no começando. Ria, ensinava os ondes e os comos. Levava Tonho e Zinho para a beira do Santo Antônio. Dada de mãos. Até a prainha. Deitada de costas, apertava a areia na hora da gostosura maior. Melhor professora que Dona Dochinha. A da escola do acampamento. Duas vezes dois, quatro. Cinco vezes seis, trinta. Nove vezes sete, vara de marmelo na bunda. Madalena arranhava a bunda deles com as unhas. De tirar sangue. Mordia, de roxear. Luz da lua entrava pela greta da porta. Um mostrou arranhão. Marca de unha. Funda. Comprida. De gato do mato acuado. Outro, rouxidão no cangote. Do tamanho quase de um articum.

João Cândido ouviu, silencioso, meninos fuxicando baixinho. Trincou os dentes. Apertou capim macio moído. Enchimento do colchão. Aguentou não. Saiu sem rumo. Meninos se assustaram com o pulo dele da cama. Num sem sentido. Vai ver que estava ouvindo. Tudo. Pinto tisnando. Entrou na capoeira. Foi por dentro do córrego chamado Ajudantim até a Casa-grande. Queria ter Madalena. Queria muito caçar e comer aquela carne de pura gostosura.

Madalena tinha leitura de coisa esquisita. Amizade muita em Montes Claros. Com gente letrada. Marcolina, uma delas, citava sempre. Sua Zefina era de instrução nenhuma. Mulher minguada, corpo quase sumido. Cabeça baixa sempre. Preto-amarelada. Rosto afundado no lugar dos dentes. Vergonhosa de rir. Mundo mais de grande não ia pra lá da porteira da rodovia e da sede velha da Fazenda Santo Antônio. De nunca falar. Trabalhadeira. João tinha medo dos olhos dela. Medo de fuxico mentiroso de Madalena com ele. Com os meninos.

Vontade de Madalena. Conformidade com sua Zefina. No agora. Severino não ia de virar Madalena em também comunista no depender dele vaqueiro-jagunço. Gostar de comunista? Num ia de deixar! Casar, então, jeito nenhum haveria. Os dois iam pegar mania de sujar o Sertão com palavreado de cidade. Dormir, vou. Com Madalena. E pôr Severino amarrado no tronco do curral olhando enquanto os corpos dele se misturavam. Como ovo em farinha de trigo. Fié-da-puta. Mulher mais de estranha. Olhos de cavalo bravo que nunca viram sela.

Só no sono-sonho. Antes de matar Severino, sacristão dos padres do Movimento de Educação de Base, gozaria gozo maior com Madalena. Tacava um sabugo de milho no rabo dele. Grosso e arranhento. Ia poder ver sangue comunista formando poça na areia daquela terra de um só dono. Sabugo com caldo de laranja capetinha.

Gambá saiu do buraco mesmo no de dia. Despropósito da ação do bicho afastou ideia fixa em Madalena. E na morte de Severino. Fome muita de filhos resmunguentos forçou o animal a deixar a toca fora de hora. Bem mais de quatro seriam. Amontoados na capanga de couro colada na barriga. Passar suave pelo buraco feito num cantinho do chão de terra batida da tapera. Focinho de rato. Andar bambo e vagaroso no ir-e-vir. Requebro. Cheirando sempre. Ataque no preparado. Caçava lagartixa que caçava abelha Jataí. Ninho delas era no oco de tronco de árvore na parede do rancho.

João Cândido, sentado no banco de madeira com furo no meio, pernas cruzadas, chapéu enfiado no joelho, deixava o tempo correr sem pressa. Assuntava o gambá. E as lagartixas acinzentadas. Bichos amigos. Gambá costumava sair só no de noite para assaltar o galinheiro do Coronel, onde havia fartura de ovo. Para caçar frango empoleirado na goiabeira do quintal. Raro vaguear antes da noite chegar. Estranhou. Fumo goiano e o passeio do bicho apagavam fogo da cabeça quente de matar Severino. No hoje agora. Nariz do gambá parecia não tocar o chão de terra batida com morrinhos aqui e ali. Fungava e levantava poeira-areia deixada pela vassoura de sapé da Nega Zefina.

Olhos de curioso do jagunço rondavam o rancho. Cozinha e quarto. Juntos. Lugar de dormir, comer, pensar. Pendurados na parede de barro batido, o chicote, a capa de chuva, quadro antigo com foto arredondada, forma de tatu-bola, do dia do casamento dele com Zefina. Outro quadro havia do Sagrado Coração de Jesus. Ficava no quarto. Pendurado logo em cima da cabeceira da cama. Presente de Sinhazinha. No dia do casamento. Tempo tanto passado pintou o quadro de um amarelo-esverdeado.

Olhos não precisaram rondar muito para encontrar os do gambá. Passou a mão na cabeça e nas costas dele. Bicho soltou catinga pior do que fedor de carniça. Tampou o nariz. Gambá teve medo. Pensou que vaqueiro queria abrir a capanga para pegar os filhotes dele. Cabeças de penca, que nem de preá, encolheram. Para o seguro. Para o escuro da barriga de mentira da mãe. Lá não batia luz do Sol queimante que teimava em entrar na tapera pela porta feita de taboa, cheia de buracos, com tramela pendurada. Aberta sempre.

Bicho qualquer morava ou visitava casa do vaqueiro. Gambá, cobra, abelha, mosquito, pernilongo, caranguejeira, lagarto preto e escorpião acinzentado. Piolho carregado por galinha e pombo. Barbeiro. Até porco-espinho tinha

Fogo, Cerrado!

um quê de sem-cerimônia. Mês passado, o bicho com espinho quase do tamanho da agulha de crochê da patroa, mais de meio palmo, entrou no rancho. Passeava por perto: pela horta e pelo pomar. Cândido pulou em cima dele. Escapou. Espinhos amarelo-esbraquiçados da cabeça do porco ficaram fincados nas mãos do capataz. Tirou um por um. Dor, nenhuma.

Calo grosso demais cobria as mãozorras. Como casco de animal ou casca grossa das árvores tortas do Cerrado. O vaqueiro sentia prazer em passar a mão calosa sobre espinhos de pé de limão e de roseira. Enfiava agulha de coser de Zefina na palma da mão. Tonho arregalava o olho. Zinho choramingava. Dó de dor muita do pai. Será que na hora de pegar Madalena os calos cheios de rachaduras iam de ferir a pele dela macia? Untar no antes. Óleo de macaúba. Melhor!

O ziguezaguear do gambá ajudava deixar pensamento vaguear. Cabeça de porco, de preá. Focinho de anta anã com bigode. Ratão. Abandonava nunca sua capanga remendada na barriga pra carregar filho nascido recém. Gambá ficou de tocaia. Galinha garnisé entrou na tapera. Caiu na arapuca. Filharada atrás. Cró-cró. Pintinho acudia. Era minhoca. Gambá aproveitou distração e atacou. Galinha mãe garnisé tentou proteger seus filhotes. Agachou. Abriu as asas. Arrupiou penas do pescoço. Para ficar maior. Mostrar força. Mirou os olhos do gambá. Pulou com espora em cima do rato grande. Cantou canto de som arranhado. Jeito de pedir ajuda. Para o galo. Que não veio.

Gambá deu pra trás um palmo. Os pintos se espalharam com fuzuê muito. Mãe mesmo apartou os filhos com ataque de defesa. Deu desespero nela. Não sabia como salvar todos. De vez. Juntou os mais espertos. Saiu voando da tapera. Deixou filhos molengas pra serem comidos. Bois de piranha. Outros, mais troncudos, iam de aguentar melhor luta futura com gambá, raposa, gavião e cobra. Fraquinhos tinham mesmo que morrer. Mundo de bichos é cheio de escolhas. Filhotes nem piaram. Medo tanto. Carne nova. Fome monstro.

O gambá, pança cheia, caminhou de volta para a toca. Olho satisfeito. Contentura. Filho ia ter comida. Leite reclamado. Tinha que cuidado ter com a jararaca que morava aninhada debaixo da cama de João e de Zefina. Tinha mesmo! Não teve. Gambá bobo demais. Veneno pingava dos dois dentões afiados. Bote certeiro. Caçou um. Comeu um monte. Juntos. Aquela bocarra ia puxando pra dentro da barriga o gambá, filhotes dele e mais os pintos da galinha garnisé. A jararaca engoliu tudo no devagar. Voltou para o ninho. Gotas de sangue quente ficaram espalhadas no chão de terra batida do rancho. Cândido se importou não. Cachoeira de sangue de comunista ia pingar em demasia de fartura no chão dos Gerais.

Pedrão Caçador, homem que veio da Galena, podia bem que ajudar a expulsar os comunistas. Fazer que nem

Fogo, Cerrado!

jararaca fez com bicho gambá. Tacar fogo em Severino. Pedido de Coronel respondia com presteza. Ali nos Gerais estava briga armada entre dois bandos de bichos. Um haveria de morrer. Povo do acampamento. Certeza. Pedrão, botas até o joelho, barrigudo, bebedor de cachaça com Brahma, matava bicho animal sem dó. Cândido tinha birra muita dele. Em vez de matar bicho animal bom mesmo era que matasse bicho homem ladrão de terra alheia.

O caçador teria serventia. E presteza. Prometeu ir atrás de onça-pintada que deu cria. Alimentava o filho com novilhos do Coronel. Tinha pra mais de dois metros. Pedrão esperava só curar dois cachorros que pegaram berne no começar do rabo para iniciar caçada. Carecia deles para encantoar a bicha. Um outro, de nome Camicase, tinha morrido mês passado. Cercou a onça e, corajudo, avançou. Recebeu tapa de garra unha afiada no pescoço. Cortou fundo. Nome esquisito este. Camicase. Cândido tentou entender razão de. Coronel explicou: aquele que ataca sabendo que vai morrer mesmo. Severino, não? Metido ali nos Gerais enfrentando os da Terra. Camicase. Ia morrer no certo. Coronel sabia. O comunistinha sabia da condenação própria. Cândido e Dolores tinham obrigação de matar o invasor. O território era deles. Deles e do Coronel. Pedrão era diferente. Tinha prazer sem conta em matar. Gente também.

Caçador era exibido. Pavão. Jeito de conquistar mulher. Deixava a dele na cidade Galena. Ia com caminhão próprio caçar pelos capões de matos dos Gerais. Caçava mulher, primeiro. Depois, de tudo: perdiz, caititu, mateiro, tamanduá, preguiça, jacaré do papo amarelo e o que mais houvesse vivo. Animal, o caçador. Onça acostumada a matar virava caça ela mesma. De Pedrão. Sobraram poucas. A que teve cria, a mais sabida. Atacava os garrotes de noite. Matava sempre. No fácil. Dia amanhecia e a bicha entrava nas beiradas do mato fechado. Escondia quietamente. Só muito cachorro para sentir o cheiro e levantar a onça. Deixar ela na mira da espingarda de Pedrão.

Coronel contou para Tonho e Zinho que era uma das derradeiras onças do Cerrado. Ardilosa. Perigosa como berne. Perigosa como os marimbondos que faziam ninho em buracos na terra. Caçavam grilos e gafanhotos. Picavam os bichos com veneno paralisante. Mexer não podiam. Vespa punha ovo bem dentro dos bichos. Filho nascia e começava a comer as entranhas vivas deles. Leis estranhas essas, as do Cerrado. De pouco conhecimento. Bicho homem devia de seguir leis iguais. Sem saber, quem sabe?, seguia.

Coronel chamou Pedrão mês atrasado. Quero que você mate o comunista do Severino. Ele está mudando as leis dos Gerais. Cândido e Dolores vão tentar no logo-logo. Se não der certo, confio na sua pontaria. Certeira. Só tocaiar o homem. Cuidado muito haveria que se tomar. Este Severino é como a onça que deu cria. Major me segredou que ele vem escapando de ser preso faz tempo demais. Agitador comunista. Incendiário de canavial. Deixar ele fugir seria como deixar onça ter penca de filhos. Vai matar o gado todo. Para comer. Quanto mais comida, mais filhote de onça. Ou nós ou ela. Ou nós ou ele.

Sei que você está do meu lado. Caça em minhas terras. E nas do compadre Valdir. Somos meio-irmãos. É uma guerra de bichos. Bichos que chegaram do Norte para ocupar minhas terras todas. Contra nós, bichos do Cerrado dos Gerais, que aqui chegamos primeiro. Culpa do Juscelino que arreganhou o Sertão com sua estrada. Mesmo assim amigo era muito meu. Voei com ele no DC-3 sobre minhas terras. Pedrão, ainda tem muito mato bom de caça. Me ajuda a matar o comunista e os bichos serão todos seus. É gado ou é onça. Prefiro gado. Prefiro o Monarca. Pafunço. As vacas nelore. Carne muita. Farta. Boas de venda em Barretos. Pedrão concordou. No dia de matar Severino ia de estar na Fazenda Santo Antônio. Domingo. Se Cândido e Dolores falhassem, Severino num ia de escapar de seu tiro certeiro. Escapasse, caçava ele que nem veado-mateiro. Istumava os cachorros: pega! pega! Isska, issska... Iam de achar o invasor do Cerrado nem que estivesse escondido debaixo de sete palmos de terra. E ainda vivo.

VI

O Cerrado tinha suas regras, suas leis. Bulir nelas valia a pena nunca. Certo estava de que a jararaca aprovava os planos de morte. Um tantinho do veneno da cobra matava até búfalo. Ela não matou uma cambada de vez? Por precisão? Eu, jagunço, matarei na certeza o caboquinho que empeteca o normal dos Gerais. João reforçou ideias de maldade para usar a cobra: enfiar a bicha pela goela do comunista Severino. Comer ele por dentro. Como fazia filhote de vespa. Pedacinho por pedacinho. Coração e fígado no por último. Primeiro, as tripas. Uma semana de trabalho. Morte da demorada. Sofrida demais pra quem ousou desafiar o protetor dos povos dos Gerais. Getúlio Vargas, como. Miolos no final da comilança.

Capataz esquecia o tempo. Vingança, não. Pressa haveria de ter pra cumprir o plano de morte. No mais, tempo vem e vai caminhando de mansinho. Relógio é o Sol. Lentidão maneira dos Gerais. O Cerrado, manhoso que nem cobra no preparar o bote mortal, tem seus perigos. Demais. Levantou pra coar mais café. Chaleira de ferro. Peso muito. Para Zefina. Encostou toco maior na brasa, catou gravetos e jogou em cima. Pegou bule na mesa-prateleira, fina e comprida. Guardava as trenheiras da cozinha. Bule bonito. Verde-pálido pintado com flores margaridas brancas com pingos vermelhos no meio. Colocou tampa de lata de querosene Jacaré na boca da trempe para segurar a chaleira. Fogo pegou de vez. Água ferveu. Borbulha das grandes. Graveto explodia.

Som confundia com barulho do Cerrado feito por grilo e cigarra chamando chuva. Por vento frio assobiando. Zoando. Por conversar entre bichos. Sapo-boi chamando mulher. Voz grossa. Rouca. Rosnado. Grito de arara. Crê-cré-cré de papagaio. Canto sem-fim de sabiá--laranjeira. Fuzuê de bugio dando grito esquisito de aviso. Choro de pererca ofendida de cobra. Falação de rolinha fogo-pagô. Tô fraco! Tô fraco! Fumaça de arder os olhos. Água fervendo. Colocou duas xicrinhas de açúcar dentro. Juntou o pó. Mistura subiu bonito, borbulha ficou amarronzada escura. Ameaçou derramar. Vaqueiro soprou forte pra baixar. Passou a água fervente cheirosa pelo coador de pano escuro e gasto de comadre Zefina.

Café secado ao Sol do quintal em cima de lona esfiapada de caminhão. Torrado em panela de ferro. E

FOGO, CERRADO!

moído na munheca por Nega Zefina. De dar água na boca. Pena não ter broa com manteiga. Um queijo. Requeijão podia até ser. Os Gerais recebiam com contentura o cheiro prazeroso. Café sem pito num deve de certo estar. Encheu a xicrinha parenta do bule e bebeu dum gole só. Desceu queimando a goela. Junto foi formiga preta comedora de açúcar. Passou arranhando a garganta dele. Bom prus óios.

Cigarro goiano de novo aceso. Na brasa do graveto. Soltava fumaça cheirosa. Vaqueiro recordou cheiro de outra fumaça. A de incenso da igreja de João Pinheiro. Igreja velha, fedida de mijo e de flor podre. Cheiro ruim mudava quando o coroinha vinha trazendo aquele trem de nome turíbio, todo prateado e fumegando que nem maria-fumaça no caminho de Bocaiúva a Montes Claros. Fumaça de incenso tampava o fedor de lugar fechado e antigo. Não combinava de jeito nenhum com o cheiro dos Gerais. Devia de ter vindo de outras terras. Ninguém ali nunca tinha sentido igual. Nem Sá Joana com seus remédios para limpar pulmão. Tosse brava. Lembrava Vick Vaporub. Cheiro de apodrecido sumia dando tempo para as mulheres rezadeiras pensarem no seu só delas Deus. Delas e do padre Tomás.

Padre tinha um jeito esquisito de ser. Batina preta de linho brilhava de tanto passar. Deixava perfume de água de colônia no ar quando caminhava no apressado de sempre entre os fiéis. Ajoelhar espalhafatoso no corredor central da igreja. O pelo-sinal parecia mais continência de soldado. Andava voando. Dando pulinhos de perereca anã. Cabelo com brilhantina. Partido de lado. Topete emplumado. Corte Príncipe Danilo. Olhava o mundo lá de cima. Nariz para cima. Cabeça cheia de ditos divinos e bolsos lotados de balas Juquinha e Chita para conquistar sacristão novo.

Povo da roça contava nos escondidos que Sinhazinha gostava no muito mesmo do padre. Se morasse mais perto, iria à missa todo dia. Na carência do Coronel marido, procurava o padre. Filha de fazendeiro ela também. Treinada por doze anos em escola de freira de Patos de Minas. Interna. Gostava de gente de cidade. Gostava de bispos. De frei. E freiras. Sofria muito no fim de mundo da Fazenda Santo Antônio. Chorava num sem parar. De ensopar travesseiro. Destino feito de antes. Sabia que Tomás era homem de duplo gostar: o de mulher e o de sacristão. Se importava não.

Missa terminada, pedia para padre fechar a porta da igreja. Deixar turíbio fumegando em banco perto deles. Soltando fumaça. De incenso queimando. De viajar para outros mundos. Como cheiro de lança-perfume dos carnavais de solteira. Matar vontade tanta de. Ela, no antes toda santa, virava mulher verdadeira. Nova. Buniteza de cidade. Quentura delicada no corpo. Era uma, duas, dez vezes. Seguidamente, com fome. Impossível de saciar. Fazia de tudo. Melhor que Madalena.

FOGO, CERRADO!

Coronel imaginava nem de longe que mulher dele era delícia melhor do que Mercês e Madalena. Juntas. Padre, suado, de num mais aguentar não. Ela, na tremeção sem parar do êxtase maior. Ele, com os braços branquicelos caídos de cada lado do banco, como se morto estivesse. Estava. Batina preta cobrindo o rosto. Ela fuçando nas beiradas do cuecão. Perdendo o nariz no meio daquela mata escura. Noite sem lua. Sem estrelas. Sufoqueira padre sentia. Enjoado pelo incenso. Bica de suor. Sem como escapar. Nunca. Carrapicho mulher.

Atrás do altar, quartinho de guardar paramento e vinho do Porto. Furo na parede mostrava o dentro da igreja. Juntava gente de num acabar mais pra ver. O padre queria parar e Sinhazinha, amargurada senhora dos Gerais, não deixava. Desejosa. Faminta. Queria mais. Sempre. Apagar fogo que seu Coronel num conseguia de. Ele procurava a mulher própria vez uma que muito no mês. Os dois faziam por obrigação. Ela abria as pernas. O Coronel pensava em Mercês e Madalena. O incenso entrava nos miolos do padre. Tomás pedia socorro para o sacristão. A mulher tentava consumir seu interno fogo eterno com o menino. Povo contava.

João queria de ter visto. Pra crer. A missa acabava às nove da manhã e, até cinco da tarde, os três ficavam ali. Deveria de ser mentira. Ninguém aguenta não. Seu Coronel, poder dos Gerais, nunca foi a uma missa. Tinha outro templo. Misterioso. Sem janelas. Difícil de entrar.

Mais ainda de sair. Não havia destrato entre irmãos. Suportava de jeito nenhum padre, bispo e monsenhor. Não havia entendimento.

Coronel importância nenhuma dava para batina. Cor tivesse. Guardava num baú, trancado com cadeado, os segredos do templo, dos irmãos. Anel, capa negra e coisas muitas de ler. Conhecimento dele era maior do que o dos pastores de Deus. Tentava, e não conseguia, que a mulher beata viesse um dia a entender que: cada um tem sua própria verdade; ninguém tem dominância sobre o certo; o Grande Arquiteto do mundo, governante do Cosmos, não se misturava com o Deus Pai, Deus Filho e Deus Espírito Santo; três em um, potoca. Um construía. Pedreiro. Outro se entrumetia em vida dos homens. Fuxiqueiro.

Igreja de sua mulher tinha implicância muita com Coronel. Sinhazinha prometeu a bispo que rezaria toda noite um terço com os filhos para conseguir a bênção divina que levasse a converter o marido. Cumpriu promessa. Por sete anos. De nada adiantou. Lei da Igreja condenava Coronel. Não aceitava iniciação e nem mesmo a obrigação do segredo. No começo estava excomungado. No depois, em pecado grave sem poder comungar. Problema deles.

Coronel via a vida com outro olhar. De um jeito diferente. De Ser. Cabeça dele estava aberta. Birra de num acabar, para com bispos. E comunistas. Maneira de mostrar desprezo era dar importância nenhuma quando visitavam sua casa. Convite da mulher. Como vai o senhor, o máximo. Por educação. Nenhuma intimidade. Ou parceria. Olhos de raiva o miravam. Bem. E o senhor? Saudade dos tempos em que estes senhores de muita pompa eram presos.

Vez que outra discutia. Coronel tinha paciência muito pouca para discurso de bispo. Deus não é o Grande Arquiteto. Deus falou pelo filho. Deu luz ao homem. Uma só. Ninguém pode servir a dois senhores. No começo deste palavrório, Coronel já se irritava. Achava que aquilo era coisa de viado. Pastor católico nada sabe sobre o esquadro. O compasso. O martelo. E o fio de prumo. Este é jeito certo de ver o mundo. Bispo parecia beato na resposta. E na ameaça: Jesus Cristo é o caminho, a verdade definitiva e universal. Bispo besta, sô. Bobo que nem ele só.

Os segredos da arte de construir devem ser guardados. Muito bem. São do homem. São de Deus nenhum. Nem serão. No nunca. O Saber libertou a humanidade. O retruco de bispo era sempre de ameaça. Existe uma única sabedoria que é Cristo. O senhor está em pecado grave. Não pode receber a Sagrada Comunhão. E eu com isso? Gabava o Coronel, desmerecendo ameaça. E eu com esses fundamentos da fé cristã. Em nome deles o mundo é só guerra. Guerra minha é aqui nos Gerais. Contra os padrecos que vestiram roupa de comunista para enganar o povo. Mesmo este padre Tomás. Fica sempre no meio do caminho. Não decide lado de estar.

Cândido entendeu uma que outra explicação do Coronel. Perguntava pra ele mesmo achar resposta: Deus num castigava Sinhazinha? Ela acreditava nele. Pensamento forte neste Deus nosso de cada dia. Deus só existe na igreja de João Pinheiro. Mesmo assim, pra ver Sinhazinha com o padre Tomás e seu sacristão. Fora dali, da casa santa, é o chão, o Cerrado de pau torto.

Vaqueiro tinha implicância com aquele Deus gente. Nem bicho era. Concordância com o Coronel e respeito pelos seus mistérios. Alguém criou as trenheiras todas, as estrelas, a minhoca, a terra, o Sol dos Gerais, o pernilongo, tudo o que via e existia. Alguém, com muito tutano na cabeça, criou este mundão. Este Deus devia continuar cuidando das coisas todas para não desandarem. O que estava errado era bispo dizer que Deus devia se meter na vida dos homens. Ser raivoso. No passar da conta.

Nunca comungou. Nunca rezou. Batizar, batizou. João Cândido era homem de uma penca de comadres. Mulheres generosas. Maridos caridosos. Deus era coisa esquecida nos dias todos dele. O que Deus ia de pensar de seus planos para aquela noite? Encontraria o Coronel, patrão bondoso, pra acertar a morte de Severino. Deus num deve de se meter nesses assuntos de homem. Nem de bichos. Deve de ficar de lado, espiando sem dar palpite.

FOGO, CERRADO!

Se quiser, que faça juízo para decidir: este, céu; este, purgatório; e este, inferno. Isso no depois. Na morte. Lá onde está o medo. Lonjura do chão dos Gerais.

Um boi vive 20 anos. Quem mora no Sertão, 65. Se muito. Bate as botas sempre no beirar dos 70. Comadre Sinhá, mãe dele Coronel, morreu com 87. Povo de cidade é diferente. João estava chegando perto dos 50. Tinha ponta de medo do juízo de Deus. Logo ele que matou no ontem mesmo seis inimigos jurados do seu Senhor na Terra. Matou, está matado. As mortes todas eram coisa esquecida. De precisão. Todas eram. Amanhã, domingo, dia santo, iria descansar dando fim eterno a Severino.

Esteve no juízo dos homens uma só vez. Coronel pagou júri e juiz: absolvido. Réu revel. Não culpado. De nada. Nome bonito esse revel. Era bem capaz de servir para chamar cavalo. Ou boi carreiro. Eia! Revel. Povo do Fórum lá de João Pinheiro bem que sabia significado. Ele nem imaginava o que era isso. Na hora da chegança lá, no juízo de Deus, queria que Sinhazinha tivesse presente. Ela pagaria pela sua inocência. Tinha até dado parte adiantado. Escapulário sujo que carregava no pescoço. De um lado para outro. Escapulário comprado do padre Tomás era quase sentença de absolvição. Pacotinho de terra santa embrulhado em plástico. Quanto Deus ia de cobrar a mais? Não sabia. Mas confiava de olho fechado nos entendimentos de Sinhazinha com o Seu Senhor. Ela ia de saber por certo o como comprar passagem para o purgatório. Inferno, não.

Outro gole de café queimou a garganta do capataz. Assim é que é bom. Pito fica mais gostoso. Viu jararaca num sono longo depois do tanto comer. Cobra num ia de presenciar a morte do comunista Severino. Comunista come mesmo é anjinho. Carne de anjo deve de feder. Cândido balançou o cabeção com cobertura de fios louros. Concordância. Ele era homem de ruindade pouca. Um quase nada. Mas aquele Severino, amigado com ideias comunistas, era homem de maldade demasiada. Imensidão de malquerer. Era berne comendo a carne do Cerrado. Berne parideiro de mãe de berne. Tinha que espremer aquela gosma vermelha que entrou no coração mesmo dos Gerais. Parasita, no ensinar do Coronel. Mãe de berne botava ovo dentro da carne dos animais homens e bichos. Filho crescia ali dentro com comida fácil. Vespa. Igual. Sem carência de trabalho. Comia a carne para nascer e gerar seus outros. Como os comunistas.

E Zefina? Nega Zefina sumiu. Devia de estar ocupada demais. Hora da boia passada era. Abobrinha, arroz, feijão, jiló, maxixe e farinha. Carne de piau. De traíra. Na mistura. Carne de vaca, não. O comunista, vai ver, tinha agora carne seca das boas. Mandava seu povo, o do acampamento, roubar e matar gado no pasto. Mês ia,

FOGO, CERRADO!

mês vinha, sumia garrote nelore. Bicho homem. Onça, vez que outra. Descobrir, descobria. No muito depois. Pelo voltear dos urubus. Quando chegava, só a carcaça era sobra. Situação de durar pouco. Muito.

VII

Meninos filhos dele jagunço, Zinho e Tonho, de apelidos dados, conheciam os planos para matar comunista. Tonho mais. Coronel contou. Tudo! Até segredo da chegança combinada do Homem de Verde. Major. Ciência e raiva. Pai e Dolores confiança nenhuma tinham neles. Mijam pra trás. Mijam curto. Idade era a de aprender. Não viraram homens. Voz não estava de todo grossa. Sabiam que nome do morto futuro era Severino.

Tonho não contou para o irmão segredo sabido do Coronel. Tinha ciência de tudo. Desembarque-surpresa de tropa de amarelo. Vinda de todos os Gerais. Não espalhou. Zinho era para saber só conversa boba de mulher. De Madalena. Pai e Nêgo iam de dar fim em Severino no amanhã mesmo. Domingo. Dia raiando. No poço. Depois, tropa chegava. Velho é meio bobo, sô! Não arreda o pé para moço passar. Medo de perder o lugar.

Treino dos meninos para aprender arte de jagunço foi com bicho. Para provar capacidade de matar. Na hora que o preciso fosse. Inventaram de caçar urubu. Começar distinto. Carne diferente da de peixe. Quem sabe, boa. Pegaram anzol de pescar piaba nas águas do Rio Santo Antônio, botaram isca de carniça. Amarraram linha na carcaça recente de garrote morto por picada de cobra.

Urubu, no faminto de sempre, comeu. Ficou entalado. Peixe preto e lazarento. Jeito foi cortar barbante porque o bicho volteava com anzol preso na goela. Papagaio de papel. Peixe-voador. Negro. Não deu para provar a carne. Não devia de ser boa. Como a de galinha-d'angola. Parecença teria com carne de gato do mato, dura e vermelha. Do urubu, dura e preta. Gosto ruim. De embrulhar estômago.

Trocaram anzol por peneira. No corguinho, acuaram bando de piabas. Peneira voltou carregada. Mais de duas dúzias. Com canivete fizeram gancho-forquilha. Cambão. Enfiaram vivas. Tremedura delas. Vontade de pular na água de volta. Piaba frita na banha, inteirinha, cabeça e bucho. Gostosura. Levaram os peixes pra tapera. Deixaram em cima do fogão de lenha. Pintado com tinta vermelha. Zefina ia de cuidar. Queriam contar coisa de homem para João Cândido. Pai era de pouco falar. Escutar, então?

Só Zefina ganhava de Cândido na economia de palavra. Vontade de falar que pronto estavam para ser jagunços que nem ele, pai. Eram grandes. Fortes. Sabiam fazer tarefas todas do jagunceio. De campear a matar. Matar o mais

Fogo, Cerrado!

difícil de tomar costume. Seguiram treinamento cortando pescoço de rolinha. Fogo-pagô era de pouco reclamar. Presa na mão, ficava quieta. Coração acelerado. De já condenada. Adiantava ter medo quando morte era certa? Nada.

Zinho segurava. Tonho passava o canivete. Depois, jacu e siriema. Pássaros grandes, bobos. Deixavam chegar perto. Cantavam num sem parar. Chamando morte. Codorna e perdiz. Mais ariscas. Matavam com botoque. Miravam a cabeça. Pedra redonda cascalho pegava bem no olho. Codorna morria na hora. Perdiz, jacu e siriema tonteavam. Carecia torcer o pescoço. Depenavam.

No passar de cada dia, bicho de comer servia de ensinamento para matar bicho homem. Procuraram paca. Pegaram cateto. Zinho abriu a pata da frente, como pai fazia. Tonho enfiou fundo canivete de ponta. Bicho gemeu que gemeu. Choro longo de criança largada com fome. Zinho segurou, firme, as patas traseiras. Tonho torceu o canivete lá no fundo. Morreu demorado. Tinham que praticar mais. Porco nas mãos do pai morria de um choro só. Faca ia direto no coração. Que nem bala de revólver. Leitão, então? Nem tempo tinha de chorar.

Morte de treinamento seguiu com jacaré do papo amarelo. Pegaram o bicho na surpresa, pelo rabo, no lago dos fundos do quintal do Coronel. Quase força não tiveram para aguentar ele preso. Zinho agarrava o rabo e Tonho dava pauladas seguidas na cabeça do grande lagarto. Tardou para morrer. Também. Retalhado, continuou na tremeção. Que nem cobra. Com machadinha, Tonho tirou fora o rabo e levou para mãe fritar. Zefina passou no ovo com farinha. Ficou de água muita dar na boca. Pimenta-malagueta melhorava gosto. Caçaram anta. Animal quase do tamanho de homem era teste final. Armaram armadilha na roça de milho. Três noites na tocaia. Apareceu paca. Anta povo comeu. Todas.

Mataram, então, garrote. Pai pensou que era arte do povo do acampamento. Zinho laçou. Prendeu no tronco de jatobá. Piou as patas traseiras. Tonho, mais coragem, enfiou faca de ponta do pai. Mesma usada pelo povo do acampamento. Peixeira de nome. A de matar boi. No meio da virilha de pata dianteira, a direita. Garrote deu berro longo. Tentou levantar. Caiu. Menino cortou com faca veia grossa que ia do coração para a cabeça. Sangue esguichou. Ficaram breados. Nelore novo foi aquietando. Força mais não tinha. Os meninos queriam que pai soubesse que, na precisão, podiam matar homem qualquer inimigo. Hora era chegada de treinar com bicho bravo. Perigoso!

Filhote de onça já crescido escolheram. Esperaram onça mãe sair pra caçar garrote no pasto. Bichano ficou só. Escondido no campo sujo, no meio das moitas de capim. Os meninos, no princípio, refugaram. Medo. Viram, com o dedo molhado de cuspe, direção do vento. Bicho não devia de sentir cheiro deles. Oncinha de metro ouviu barulho. Mãe chegando. Era ela! Só podia ser. Errou.

Num de repentemente, Zinho pulou na garganta do gato bravo. Animal retorceu o corpo. Garras de rasgar

FOGO, CERRADO!

passaram perto da perna dele. Tonho, nem bem Zinho saltou na goela do bichano, puxou da faca. Enfiou na barriga da onça. No umbigo. Miado pavoroso. Rodou a faca de ponta nos buchos do bicho. Sangue pipocou. Onça, menino-homem que nem eles, não resistiu. Patas rodopiaram o ar. Faltou tempo para chamar a mãe. Prova mais uma de que homens eram já. Careciam outras mais? Tomaram banho no Rio. Lavaram roupa. Faltou o anil de Zefina para tirar cheiro doce de sangue. E clarear.

Zinho e Tonho sabiam que à noitinha pai deles acertaria com o Coronel a morte do homem do acampamento. Estavam acostumados com as mortes à morte mandada. Filhos de jagunço já nasciam jagunços. Os dois mais do que nasceram. Aprenderam com muito treinar. Ordem maior e certeira é servir e matar. Oito ou oitenta.

Coronel tinha carinheza cada vez maior por Tonho. Prova disso, presentes dados. Levava para ele revistinha de bangue-bangue. Gostava de briga de índio com caubói. Dia de chegada do dono da Santo Antônio da capital, Tonho passava trepado na porteira da entrada da Rio-Brasília. Coronel sabia que o menino estaria ali. Sempre. Certeza de que, numa necessidade qualquer, podia contar com Tonho. Madrugada ou Sol do meio-dia. Não importava não. Tonho abria e fechava a porteira no depressa e corria para a boleia do Estudibeiquer. Coronel, homem de muito siso, passava a mão na cabeça dele e entregava pacote de revistinha. Não gostava do Fantasma nem do Mandrake. Preferia faroeste. Zorro, Silver e Tonto.

Admirava defesa dos homens que chegavam naquela terra de montanhas secas nos estrangeiros. Pior muito que a do Cerrado. Não simpatizava com xerife. Menos ainda com seus gritos: camonboi. Preferidos eram os índios. Índios, não. Suas machadinhas. Sem pai saber, pediu ao Coronel para comprar uma nova para ele. Ganhou no dia de São João. Alegria de morrer. Armado estava para defender o Coronel, primeiro. Depois, pai e mãe. E Zinho, quem sabe?

Vaqueiro, ao ver arma nova na mão do filho, pediu nome do doador. Coronel! Assunto morreu. Família teve inveja. Zinho mais que todos. Fazia que gostava do irmão. Fingimento. Ciúme da preferência do Coronel pelo irmão era muito. Atenção do Senhor dos Gerais e do Pai era só para Tonho. Para ele sobrava Zefina. Mãe tinha pena. Duas vezes acordou de noite com as mãos em volta do pescoço de Tonho. Filhote de gavião carrapateiro não mata irmão? Por que ele não ia de?

João Cândido conhecimento tinha de que os meninos dormiram outras vezes muitas com Madalena. Só ele que não nunca. Safada. Deita com menino e esquece o jagunço-chefe. Mulher faminta de carne tenra. Ela, carne dura. Anca dura. Carinhosa de ser. Braços de agarrar macio homem mais homem. Manga-espada. Trabiceiro de algodão. Flor de laranjeira. Doçura de laranja-lima. Mulher mais nobre que Severino queria de ter só sua. Certo era que não sabia que Tonho e Zinho eram os preferidos. Dela, Madalena.

Fogo, Cerrado!

Tardinha de sábado chegou. Bezerros próprios dele, Tonho e Zinho, já estavam no curral-tapera. Olhou nos olhos de cada um. Viu que queriam contar coisa. Melhor, não. Iam de falar de Madalena. Cairia na braveza demais. Silêncio dos três nesta hora dizia nada não. Outras, sim. Precisava encontrar Zefina. Na horta e na represa, nada. Córrego Ajudantim, terreiro e pomar do Coronel, buritizeiro. Ninguém. Caminhou de volta pras bandas do curral.

Curral novo, bonito. Bezerro dum lado, vaca do outro. E mais o tronco de tora roliça. Só botar o boi ali e chegar o ferro vermelho em brasa com a letra C. Do dono dos animais. Queimava bonito. Fedia no normal. Pelo, pele e carne rasgados pelo ferro em brasa. Boi berrava berro de dor de queimadura. Um só. Era chegar a marca e tirar no depressa. Levantava no imediatamente. Parecia camelo quando ficava de joelhos para subir aquele corpanzil. Ameaçava investir. Contra jagunço. Causador de sua dor tanta. Animal devia de sofrer demais da conta. Aquele comunista ia dar berro bem muito mais pavoroso na hora de morrer. Nem tinha jeito de coicear com a carne viva ardendo. Investir, menos.

Em vez de catar a mulher Zefina, Cândido teve mesmo que ir buscar as vacas com suas crias no pasto. Chamou Tonho e Zinho. Peitos estufados ficaram. Será que pai viu a briga deles com onça de metro? Os bezerros tinham que dormir no curral para deixar os peitos das vacas incharem de noite pra ele tirar leite doce, quente e espumento dia seguinte. Entrou pelo meio do capim meloso. Agarrou ninho de carrapato. Do muito miudinho. Montões. Correu de volta para o rancho. Tirou a roupa toda. Esfregou querosene no corpo feito de músculo duro como pedra. Se boi fosse, como queria ser, e matassem ele para comer a carne iam de quebrar os dentes. Difícil foi arrancar os carrapatinhos. Tavam grudados no saco. No sobaco. Procurando todos os cantos. Para chupar sangue. Vida.

Voltou ao pasto com fedor de lamparina. Meninos riam riso controlado. João fingiu não ver. Deu um berro longo. De juntar vaca. Vieram logo todas. Em fila. Naquele sem parar de mastigar. João convocava marcha. Voz de berrante. Mochinha puxava fila. Curraleira, ela. Garrotes e todo bicho gado iam atrás, mansamente, para o curral. Trilha de sempre andar. Bezerros, na correria. Alcançar as mães. No sempre pareciam querer atrasar a hora da apartação.

Todos, até os mais erados, gostavam não de dormir no curral. Sozinhos. Mães deles, vendo que estavam seguros, voltavam para o pasto. Comer capim. Fabricar leite. Fingiam nem escutar berro de filho chamando. Só vaca de bezerro novo ouvia a voz parecida com a de cabrito. Nervosa. Volteava o curral. Bufando.

Vacas deviam de ser santas. Coronel disse que havia terra muito do longe dos Gerais onde eram. E deviam mesmo de ser. Davam leite para povos que viviam naquele fim de mundo do Cerrado. Davam sem menos carne delas mesmas para homem comer. Fabricavam mais. Filhos. Também devorados. Ou será que nada tinham

FOGO, CERRADO!

de santas? Eram, mesmo, é espertas. Trocavam a vida delas por leite para seus bezerros e para Coronel encher as latas entregues na cooperativa de João Pinheiro.

Tonho, de combinação com Coronel, ganhava uns cobres colocando três litros de água em cada lata. Cooperativa analisava. Só a que não tinha água. Fiscal amigo. O Senhor dos Gerais partia o lucro. Tonho juntava o dinheiro nos escondidos. Numa moringa velha. Com boca quebrada. Enterrada debaixo do pé de pequi, passando o colchete de entrada da Sede Velha. Economia para comprar revólver de caminhoneiro no entroncamento. Ordem de multiplicação do leite era do Coronel. Usava as águas puras do Santo Antônio. Os da cooperativa faziam o mesmo. Enganar comprador de leite da cidade era tarefa de muito difícil não.

João juntou o gado. Tocou para o curral. Meninos apartaram. Viu a vaca de nome Baixinha com o barrigão de quase parir. Hora estava por chegar. Mais uma cria no mundo. Haveria de ser um macho. Erado fosse, morreria com pancada de porrete, primeiro, e, na faca de ponta, no depois. Chegando até o coração. Vaca dava leite. E carne. Não havia nunca de ser que nem os bernes comunistas que viviam no acampamento construído nas terras do Coronel. Teve inquieteza por conta de não encontrar Zefina no rancho. Era hora da boia. Ela, nada. Esperou tempo de não saber contar. Voltou ao curral. Via-sacra.

VIII

Madalena! Cândido avistou a mulher do outro lado do curral. Na porteira que dava para o pasto das vacas. Pelos brancos-aloirados arrupiaram. Tremura no corpo. Esqueceu Zefina num instante. Engasgadeira. Negrura na vista de volta. Será que o sonho besta ia começar outra vez tormento maior? Bambeou o corpo. Respirou no apressado. Nariz tremia. Olho arregalou. Que nem de maluco. Esbugalhado. Nada mais via em volta. Nem ouvia. Cabeça empinou. Apressou o passo. Relar de pinto na calça fez dele pedra. Lá, a mulher!

Chegou perto. Roupa de Madalena estava molhada. Pingava tinta vermelho-berrante. Colada no corpo. Os bicos do peito, durinhos, ainda mais. Suada como se acabasse de dormir com seus homens todos. Seguido. Sangueira melada. Quente ainda. De sair fumaça na manhã de inverno forte temporão. Cerração suorenta. Agachada de cócoras. Vestido levinho grudava nas ancas. Enfiado entre as pernas. Nunca usava calcinha. Dava coceira. Vontade de toda hora. Cândido viu moita de capim esturricado pelo Sol. Endoideceu. Quase. Madalena, mulher mais dele dos sonhos de diariamente, gemia ao lado de Baixinha.

Vaca mansa forçava o parir. Madalena ajudava. Mulher parteira. Caboclo contava que aquela vaca era amiga dos povos. Todos. Conciliadeira. Não se importava com quem bebia o leite dela: se carvoeiro, jagunço, meeiro, garimpeiro ou engenheiro. Quem seja. Dava leite pra os povos todos. Até mesmo para povo comunista do acampamento. Mineira. Quando era tempo de tá-não-tá pra parir, mais ficava perto dos bichos homens. Gostava de gente. Queria pouco saber dos seus iguais. Por isso fingiu ida para o pasto com as outras vacas. Voltou para o colchete.

Povo dizia que a mulher de Zé Preto, boa parideira, boa de leite e mãe para filhos muitos das roceiras, todas com peitos murchos e secos, havia de ter encarnado na vaca. Mas como é que pode pessoa morta encarnar em animal? Invencionice. Ou não? Tudo bicho não era? Vaca até que diferia, na formação do estômago. Porco, então? Se trocasse coração, fígado, rim ou entranha de homem qualquer pelo de um cachaço, num ia de acontecer nada. João Cândido conhecia os dois. E bem. Corpo de mico maior perfeição ainda. Só a forma era menorzinha. O resto, igual igual.

FOGO, CERRADO!

Madalena falava com Baixinha. Cochichando. Fala de mulher pra mulher na hora de parir. Explicava que bezerro tava de atravessado. Pedia tranquileza. Dedos suaves de acarinhar Tonho e Zinho e sua penca de homens entraram macios na xoxota da vaca. Vaca parecia não muito importar. A dor devia ser e estar forte de mais doer. Olhos mansos de todos os bois. Aguados. Como os de quem toma cachaça fora da conta todos os dias. Conformados. Na espera da morte do ofendido por jaracuçu. Bem diferentes dos de Madalena: olhos de jaguatirica acuada.

A mulher rasgou pedaço grande de vestido branco. João sentiu os pelos irem ouriçando num cada vez mais. Mistura de medo e vontade indomável de não ter jeito nenhum de se segurar. Quase avançou nela. Como queria no mais querer. Como cobra. Quis dar bote. Pensamento segurou. Agachou ao lado da mulher formosura. Trapo de saia deu para vaca morder. Virgem. Buraco deixado pela tira de pano mostrava a anca. Do quadril ao joelho. Madalena viu a pedra. Pinto. Por um instante deu atenção alguma a animal bicho. Cobiçou. O animal gente. Pronto para. Lambeu o beiço carnudo.

Coração de Cândido iniciou disparada de não parar. As ancas. Duras que nem aroeira. Lisas que nem casca de manga verde. Os peitos firmes que nem marmelo se mostravam oferecidos no abaixar. Fruta madura na hora de comer, chupar e morder. Cabelos pretos que nem fruta jabuticaba. Daquelas maduras. De casca fina. Gostosos de tocar que nem cabelos de espiga de milho no nascer. Quase verdes. Como o do montinho no entre-pernas. Rosto de beleza nunca vista. Nem em corpo de touro zebu campeão de exposição em Uberaba.

De perto, beleza da mulher ganhava dimensão. Sangue saía da vaca meio-gente-meio-bicho. Breava a mulher. E homem vaqueiro. Madalena cochichou outra vez no ouvido dela. Cândido viu Baixinha negacear a cabeça. Concordar num quem sabe. Apertou com os dentes o trapo de pano do vestido da mulher. Sufoco. Dor demasiada. Vaqueiro jagunço lembrou do dia de internado no hospital com buraco de peixeira na barriga. Mordeu pano na hora de costurar. Hospital de João Pinheiro estava sem anestesia. Madalena doutor seria?

Vaqueiro atinou que o bezerro tava mesmo de atravessado. Madalena não contou. Falava nunca com o vaqueiro. Desprezo que aumentava a vontade de. Povo do acampamento fez roda em volta. Rosto de pena, um. De dor, outro. De cobiça da carne, muitos. Homem velho. Mãe com filhos pendurados nas ancas. Mocinhas meio rindo no aprendendo. Imaginando dia delas. Meninos de barriga grande e olhos arregalados. No silêncio, todos, acompanhavam o nascer. Zinho e Tonho ali no meio. Assuntando João.

Pai parecia estar naqueles dias de fazer a cama e a tapera tremerem com vontade de engolir mãe deles.

FOGO, CERRADO!

E Madalena entesando o vaqueiro. Os meninos conheciam muito do jeito do agir dela na hora do antes. Tinha uma maneira de mover o corpo, empinar os peitos, lamber os beiços, mexer com as mãos. Olhar com mistura de safadeza de moça no cio com vontade verdadeira. De menina pequena iniciando arte de aprender. Mistura provocava tempestade no corpo dos filhos do vaqueiro jagunço. Em Tonho, mais ainda. João Cândido e Madalena, colados um no outro, grudados pelo sangue doce e melado, tentavam botar a cria no jeito de sair. Nada de conseguir estavam.

Vergonheira deixar ver o pinto duro no demais. Alfinete da braguia podia não represar. Meninos observando. Safados. Eles. Dormiam que dormiam com Madalena. Pai pode não? Ademais, a vaca era do Coronel. A marca tava ali. Como não se achegar a Madalena? Num estava era aguentando a tentação de juntar a formosura ali diante do olhar do povo todo. Inda mais com ela besuntada de sangue. Doce. Lembrava da mãe dele, Diolinda, dando copo de sangue de porco tirado na hora do abater. Para acabar com amarelão. O primeiro deu enjoo. No depois, disputava. O de galinha, cozido. O de boi no chouriço.

Tirar bezerro atravessado carecia força de braço de vaqueiro. De João Cândido. Foi apressando o enfiar a mão. Dele. A de Madalena estava saindo. Uma tocou na outra. Dedos de Madalena ficaram mais tempo roçando nos de João. Dança de bicho animal no antes de. Roçar de leve quase tão bom quanto a da hora que a vida passa de um para o outro. Tremura. Garganta espremida. Língua como em dia de chupar limão-galego. Manga verde. Com sal. Respirar no mais depressa.

Fasta mais, gente. Enfiou o braço. Madalena deixou a mão na saída da xoxota da Baixinha. Pra ajudar cria. Relando no de leve nos pelos ouriçados dos braços do vaqueiro. Duros e arrupiados. Como mato do Cerrado. No dia mesmo que chegou à Fazenda Santo Antônio, gostou de João Cândido. Primeira vista. Homem que podia ser único dela. No depois, sentiu que briga de morte ia de ter com Severino. Tomou decisão. Ficar com os dois. Só assim ia de ter paz no Sertão. Mulher conciliadeira. Como a vaca. Severino não aprovou ideia. Ela não podia ser dele no público e do vaqueiro, vez que outra, no particular. Dizia que jeito não havia de dormir e ser dele toda e do vaqueiro do Coronel hora que outra.

Madalena não conseguiu acalmar os machos. Pareciam caciques de tribos em guerra. Como viu no cinema de Montes Claros. Só menino Tonho sabia dos segredos todos da mulher. Sonho de Madalena, sem poder abafar fogo interno no Sertão, era o de vaguear pelo mundo Brasil infinito. Ter quantidade enorme de homens. Disso é o que mais gostava. Nada de melhor haveria de ter. Todos, possível fosse. Em boleia de caminhão. Ônibus. Em avião DC-3. Como o do presidente. Voava baixo.

Seguia trilha da Rio-Brasília. Queria voar que nem andorinha. Pássaro vestido com roupa de casamento. Morava e desmorava no Cerrado. Numa volta vai ver ficava. Com ele, Tonho. De mulher. Verdadeira.

Teve gente que viu uma gota d'água sair dos olhos da Baixinha. João encontrou a cabeça do bezerro. Madalena ajudava que ajudava. Os dois oleados de sangue. Corpo com corpo. Ela relava na malandreza. Êta gostosura! Safada. Tava querendo ali. Ver se ele era homem na frente do povaréu. Dos meninos dele. E, pra desgraceira, queria tanto na hora de não poder. Sentia a vontade toda. Quando enfiou o braço até o sobaco, relou a boca na ponta do peitinho aprumado de Madalena. Tonteou. A mão dele saiu gosmenta. Gosmenta de sangue grosso. Voltou a procurar a cabeça da cria. Viu tudo vermelho. Sonho era não. Desta vez.

Não entendia por que vermelho era a cor de preferência de Severino. Aquele safado que só sabia falar de sindicalização rural devia mais é de estar num fundo de terra morto que morto. Ou desfalar de vez palavreado de camponeses, alfabetização, consciência. Coronel tava cansado de explicar que esse palavreado vermelho só podia acabar em morte. Pra cada palavra de doidice, um homem do povo do acampamento morto. Seis, já.

Virou a cabeça do bezerro para o lado certo. Rela-rela com Madalena foi num aumentando. Esforço muito. Corpo no corpo. Bico de peito da mulher queria furar a cara do vaqueiro. Muito perto da boca. Povo geral não dava conta do que estava acontecendo. Só os meninos. A mulher começou primeiro. A tremeção. Seguida. Tonho lembrou de vezes tantas que esteve ao lado da moça na hora aquela. Madalena era sempre o começar. Saía sempre na frente. Esperava gozo maior do menino-homem. João Cândido foi no seguido. Vontade explodiu. Num sem querer. Das profundezas da terra dos Gerais. Melecou a calça de linho. Branco. Nem dava para ver não.

Madalena, serenada em seus desejos de mulher, falou ao ouvido da vaca. Baixinha ouviu a voz. A mulher pedia esforço final. Como se animal entendesse. Como se povo da roça entendesse o discursar dos comunistas do acampamento. O bezerro saiu cuspido. Pras bandas do rancho do jagunço Cândido, siriema cantou comida de cobra. A jararaca de estimação dos meninos não conseguiu escapar das bicadas num sem parar do casal de seriema. Ave comedeira de serpente. Barriga cheia com gambá, mãe, filhos e pintinhos garnisé tirou rapidez de fuga. Da cobra. Carne tanta dava para matar fome até de ema. Prima maior. Escasseando no Cerrado. No então.

Baixinha virou os olhos na direção da cria caída ali no chão. Botou a língua arranhenta pra fora e fez como se fosse lamber a capa branca e gosmenta, como clara de ovo, que cobria a bezerra. Preocupada. Muito. Com limpar o nariz. Esforço pra nada. Força para salvar filha fez sangue borbulhar de dentro dela. Igual nascente de

Rio. O pescoço bambeou. Caiu de golpe. Barulho oco de chifre ao tocar o chão dos Gerais. Madalena entristeceu. Ela não ia de ser como Baixinha. Prometeu. Vaca mulher, boa parideira. Penca de filhos e bondade no cangote. Leite farto para povos todos. Trabalheira demais. Bicho homem devia de ser bom na medida certa da necessidade. De sobreviver.

Aproveitador muito há de haver. Pobre ou rico. Animal homem gostava mais de verdade era dele mesmo. Fingimento de ser bom. Verdade de ser ruim. Vaca, como Baixinha, nascia condenada. Não queria recompensa. Fábrica de carne e leite. Nunca reclamava da vida. Não era que nem os macacos da capoeira. Um catava pulga do outro. Ai daquele que não retribuísse. Lei era. Madalena teve ponta de dúvida se não estava sendo por demais generosa com os homens. Não! Ela é que usufruía deles. Tinha a rédea na mão. Dava o rumo. Escolhia o cavalo melhor. Vaca era diferente.

Vontade enorme de grande de ganhar o mundo voltou. Gostava da Baixinha. Não gostava da sina de vaca. Gostava de Tonho. Parecia com o pai. Homem que queria, no antes, pra seu. Sem poder. Severino, bravo demais. Mulher, só na hora das necessidades dele. Casou com outra. Nome da mulher dele, a de verdade mesmo, era Reforma Agrária. Nas vezes muitas que passava a noite com o chefe do povo do acampamento ouviu o falar dormindo dele sobre terra dividida.

A do Coronel no já. Depois da Reforma Agrária, podia de ter coisas outras. Filho, por exemplo. Casa arrumada. Antes, terra própria. Ideia fixa.

João Cândido era o outro lado da moeda de tostão de nome Severino. Raiva de não terminar do invasor do Cerrado. Nem com carinheza toda Madalena apaziguou os dois. Possível era não. Só na morte. Morreu, acabou. Tudo. Não tinha crença em Deus. Agarrou raiva. Causa era o pai Batista. Deus vingativo, o dele. Não aceitava conciliação. Um qualquer estava com Ele sempre ou penava no fogo dos infernos. Deus que mandava matar bicho animal e bicho homem para prazer maior Dele.

Vezes tantas o pai ameaçava com malvadezas do Criador e condenava a filha, como porta-voz Dele. Morte na fogueira. Como se bruxa fosse. Fogueira de nunca apagar. Queimando gente num sem parar. Lembrou-se da história do Homem de Verde. Depois de saciar a vontade toda em Madalena, ofertada por Coronel, pagamento adiantado pela ajuda que teria para acabar de vez com a raça dos comunistas, ele contou ida para Itália. Para lutar contra italiano. E alemão queimador de infindura de gente em forno muito maior do que o dos carvoeiros. Igual Inferno do Deus do pai Batista.

O ronco dos caminhões na estrada construída pelo povo do acampamento era como um chamado. Brasília estava nascendo. Madalena queria nascer de novo. Longe da morte muita no porvir. Rio-Brasília passava

FOGO, CERRADO!

pela Fazenda Santo Antônio, cruzava os Gerais de cabo a rabo. Longe de Severino. Homem de palavras de sonho. Sonho dela era de ter gozo muito. Vida! Gozo é Vida! Uma boleia de caminhão. Um DC-3. Um ônibus da Cometa. Num deles ia de achar jeito de sair à caça de homens bons. Na cama. Em qualquer lugar que vontade viesse. Longe mesmo que fosse de Tonho. Do pai dele. Antes de partir, ainda ia de dormir de verdade com João Cândido. Homem do mais bicho. No parir da Baixinha viu força. Coragem muita. Mãos arranhentas de calo davam vontade maior. Pinto. Pedra. Cheiro bom de terra.

A mulher matutava sobre o dia amanhã, domingo. Dormir ia mesmo de com João. Antes de ir embora de vez. Rosto tinha misturança de tristeza e de alegria muita. Ideias iam e vinham enquanto limpava o bezerro. Mãos de carinho. Lembrou canção cantada por mãe no antes de dormir: Boi, Boi, Boi da Cara Preta, Pega Este Bezerro que Tem Medo de Careta. Ninar. Ideia boba. Bobona. Povo ia imaginar que tava doida. Vaqueiro, variando, era ternura no ajudar. Como se filho deles era o caído ali, no chão. No mais, sem coragem de um convite para dormirem no meio do pasto. Naquela hora mesmo. Acabar de matar vontade. Ela ainda tremia de mansinho. Cobiçava o pinto de João Cândido que teimava em ficar pedra. Ali perto mesmo. Capim meloso. De cama. Na madrugada, antes de matar Severino, ia mesmo ter Madalena. Promessa de vaqueiro João para jagunço Cândido.

Madalena fez profecia. Filho da Baixinha ia ter castigo do mais de pavorento. Ser órfão e faminto. Mandou Tonho buscar, na tapera dele, mamadeira que ele usou de quando bebê. Bico ressecado de tanto guardar. Sabia da existência porque menino-homem contou enquanto mamava, com gosto muito, nos peitos dela. Deitados na prainha do Santo Antônio. Tonho mordiscava. Chupava suave. Amassava o bico com a língua. Passava o dedo em volta. Ela ensinou para Tonho gosto exato de mulher sentir prazer. Empurrava, gentil, a cabeça do menino em busca de abrigo em sua matinha negra. Zefina guardou a mamadeira. Recordação. Velha demais. Encardida pela terra vermelha dos Gerais.

Madalena mais parecia mãe do bezerro. Filho no colo. Aquela cria da Baixinha não carecia mais de embalo e carinheza. Estava morta. Também? Foi mão do vaqueiro. Vontade de agarrar Madalena era tamanha que deu puxão forte demais. Torceu pescoço da bezerra. Cruza de nelore com curraleira. Terminou como a mãe. Morta, olhos sonsos arregalados. Como os dos meninos em volta. Coronel, dono das criações, ia espumar de raiva. Dois duma vez? Mortos? Povo do acampamento ia de ficar sem leite da vaca.

Madalena lambeu a mão. Sangue doce. Queria que João Cândido, homem seu no só agora, pudesse ali, na

FOGO, CERRADO!

frente dos povos, limpar ela toda devagarinho com a língua de macho dele. Doçura no lamber. Gosto quente. Os meninos jagunços olhavam Madalena com olhos de vontade. Carne melhor nunca haveriam de ter. Pra comer. Matar forme de menino já homem. Tonho mostrou para Madalena a machadinha. Proteção dos perigos do Cerrado. Posso te proteger, mulher. Melhor que meu pai. Velho. Sem serventia.

Povo do acampamento olhava a vaca e o bezerro mortos com olhos de cobiça. Cobiça de carne pra colocar pra secar. Jabá. Serrar as pernas pra fazer mão de vaca. Osso para mocotó. Comida das mais apreciadas no Norte. Norte de onde tinham vindo pra trabalhar naquele outro fim de mundo, na construção da estrada que ia do Mar Azul do Rio de Janeiro à beira do Mar Verde, Amazonas. Rasgando num sem pena alguma e de vez por todas o coração do Cerrado. País das florestas anãs tentou se esconder. Como bicho-pau. Fingir que não existia. Para nem pica-pau descobrir. Se enfiava entre as cascas grossas das árvores tortas. Ganhava a cor delas. Desaparecia. Mesmo existindo. O Cerrado queria ser visto não. Ficar ali, quietamente. Do jeito dele de ser. Longe da cobiça dos povos de olhos azuis, do Sul, dos povos de roupa engomada, do Mar Oceano, dos povos da Seca, mais perigosos que cascavel porque foram curtidos pelo Sol arenoso de chuva nenhuma. Adiantou nada.

Rio-Brasília trouxe aqueles homens de terno que viviam do outro lado da grande Serra. Povo esquisito. Bobo. Demais! Com dinheiro muito. Amigos de JK. Povo do Sul. Chegou de mansinho, em busca de terra muita. Dia vai, dia vem, um casal de tchês aparecia. Cabelos cor de espiga madura de milho. Olhos verdes como folha de pé de pequi. Ou azuis como penas de arara. Dois filhos parrudos, máximo. Estavam já pras bandas de Unaí. A caminho do Cerradão. De Paracatu. João Pinheiro. Urucuia. Matar veredas iam de. Pode? Mulher tratorista. Nem mesmo tinham enxada, foice, enxadão ou arado. Boi carreiro, então? Máquina fazia tudo. Sem cansar. No depressa. Derrubando as plantas de Sá Joana. As de salvar vidas. Povo do Norte não vinha de pareado. Anésio, um do Sertão da Bahia, se gabava de seus 58 filhos. Vinte e dois deles subiram pela Rio-Brasília e foram se espalhando. Notícas deles tinham em Três Marias, Januária, Paracatu e na Fazenda Santo Antônio. Uns, garimpeiros; outros, carvoeiros; a maioria, peão de construção de estrada.

Madalena correu a mão pelo pescoço, passou pelos peitos e chegou até a anca. No natural dela. Cândido urrou por dentro. Pela segunda vez seguida teve vontade muita de. Lobo guará esfomeado. Grito-urro estufou o peito do vaqueiro. Onça macho ao ver fêmea no cio. Tortura e dor de querer tanto. Só Madalena percebia vontade seguida toda dele. Ela e os meninos Tonho e

FOGO, CERRADO!

Zinho. Vergonheza na hora de pedir. Se pedisse ela ia com ele no agora. Onde quer que fosse. Dormir com o jagunço maior do Coronel. No campo. Entre os bois. Carreiros. Naquela noite. De madrugada. Vontade muita. Num crescendo. Agoniante. Se só relar ela gostou demais, imagina no verdadeiro. No capim frio. Causa do sereno da madrugada.

Madalena queria enfiar na cabeça de João Cândido ideias de que havia outros Gerais. Levar ele junto. Só não dava garantia de fidelidade. Total! Os que ela sonhava conhecer no cada vez mais na boleia de jamanta. Na boleia de avião. Queria ele, João, de motorista de Fenemê. Piloto de DC-3. Confessava pra ela mesma que tinha um pouco de medo do pensar de Severino. Inimigo de morte do Coronel. O chefe do povo do acampamento mais queria que trabuco e pau de vassoura que cospe fogo matassem o Coronel. Necessidade de matar Chefe Maior do povo. E ai de quem não quisesse cumprir o destino de mudar. Severino mais queria ser novo Coronel?

Cândido continha vontade imensa de sapecar um beijo naquela boca convidadeira. Não vencia aquele desencorajar de pedir. Ela nunca ia de negar. Sabia. Madalena era como o Cerrado. Madalena era o Cerrado, o Sertão. Homem que chegava perto dela assuntava o ar e já confirmava: mulher esta, vereda mais bonita de todas as veredas. Verde. Sombreada. Generosa. De água fria. A mulher de Montes Claros, a namorada dos meninos dele, do comunista da Supra e de quem mais pedisse no carinhosamente.

Não era mulher de um só. Poderia ser. Quando ganhasse estrada, ia de ter os homens que desejasse. Um só macho?, só na volta para ficar de vez no Cerrado. País dela. Terra dela. Gente dela. O vaqueiro João? Quem sabe! Homem bonito. Cruza deles ia dar cria ajeitada, demais. Madalena queria ter um filho do vaqueiro. Ou um filho do filho. Dele.

João Cândido voltou para o rancho. Cabeça perdida estava em Madalena quando viu Zefina, preta-nova--velha-desdentada. Nos braços, gravetos sujos de lama. Para apressar fogo a pegar. Casca de árvore no meio. Era jogar em cima da brasa, soprar. Fogo bom nascia logo. Mulher do vaqueiro esteve escondida no meio dos pés de planta, tomate e quiabo, cuidando da horta da Sinhazinha. Causa disso não achou logo. Plantava e desplantava num sem-fim de tarefa. Cozinhava para o almoço de Cândido e dos filhos ainda com o sol no começar da manhã. Requentava a boia no de tardezinha. Vez esta ia ter piaba para fritar. Meninos seus homens eram. Fazia tempo que, a cada dia, chegavam com carne de bicho diferente. Mais de mês passaram trazendo perdiz, cateto e jacaré. Até mesmo de bicho que tinha gosto de carne de vaca. Orgulho muito deles. Foram sapecas. Eram, no hoje, homens ciosos do dever com

FOGO, CERRADO!

a comida da casa deles. Cuidado maior para Zinho. Tonho, desmamado de muito. Garrote cheio de brabeza. Chifre, machadinha dada por Coronel.

IX

Zefina notou marido diferente dos dias todos. Cândido, pensando em Madalena, mostrava desejo aumentado de ter mulher sua. De sempre. Tinha cisma pequena de traição dela com Coronel. Quando era só buniteza. Menina, quase. Antes do casório. Não conseguia entender meninos dele, gêmeos, com cara diferente. Como se ovo tivesse sido galado por dois machos distintos. Um, ele. Outro, Coronel. Ideia besta, sô. Paradeza dos Gerais é nascente de pensamento ruim. De dar em morte. Vontade de ter Zefina podia segurar não. Madalena deixou vaqueiro em ponto de bala. Jatobá. Mortes esquecidas: da vaca, do bezerro e a que o Coronel havia mandado. Severino, cê vai ter morte doída. Deu pressa em Zefina pra ir quentar boia no rancho. Desculpa para.

A mulher chegou ligeira. João caminhava logo atrás, com seus passos largos e demorados-desengonçados. Nem bem entraram, ele agarrou a negra pelas partes traseiras. Pensou no arrebite de Madalena. Os dois, gosmentos, um de lama e outro de sangue, rolaram pelo chão do rancho, em cima das folhas de buriti. Terra batida, cheia de sobe-e-desce, dava jeito de acomodar aqueles corpos. Pena mais um filho não poder nascer. Ainda bem. Não tinham precisão de pensar no nome de outro compadre. Em mais uma boca pra dar o que de comer. Em outro jagunço. Temporão.

Nada falaram no depois. Zefina nunca tinha visto o marido tão fogoso. Desejoso. Passou até das contas. Largou marcas em seu corpo magricelo. Como no depois do casamento. Ao longe, um zuado. De ônibus, subindo morro. Zefina disse só um uai, sô! meio sem propósito. Foi quentar a boia. Fritar as piabas. João fez mais um goiano. Seus olhos continuavam azuis e frios. Tranquilos, porém. Seguiam Zefina no bota-lenha-sopra e mexe-mexe das duas panelas de ferro: angu, quiabo e arroz com urucum. E peixe pequeno torrado. Mistura boa de comer. Ia lembrar Zefina de colocar pequi no arroz. No amanhã. Domingo. Gostava demais. No feijão, então?

Zefina nada lavou antes de cuidar da comida. Mão breada com duas gosmas. João nunca tinha falado que gostava dela. Um dia quis e amasiou. Padre depois casou. Casal juntado sem a bênção divina ia direto para o inferno. Padre Tomás foi quem disse. Casaram. Com festa modesta. Coronel e Sinhazinha entre os padrinhos. Comadres. Compadres. Poucos. Deus do padre precisava ver, perdoar. Nada de registro em cartório. Também, pra quê? Os meninos não iam mesmo sair dali, das terras do Coronel, onde seriam sempre jagunços pra proteção muita ter. E dar. E dia qualquer morrer cumprindo sentença de morte de inimigo.

Ela passou a mão na barriga, em cima do vestido branco, feito com pano de saco de farinha de trigo. Lugar sobrava. Bem que queria botar os peitos muxibentos pra mais um filho mamar. Nega Zefina invejava mulherio do acampamento. Montão de meninos. Ela, ali, sem emprenhar nunca mais depois de Tonho e Zinho. Tristeza. De dar dó! Mulher ativa. Calada. Voz dela ninguém sabia como. Daquele jeito João Cândido gostava da sua Nega. Gostava calado, de mansinho. Frio, rude, quieto. João, branco de olhos azuis, alto e de cabelos louros. Zefina, negra amarelada. Só osso grudado na pele.

No Cerrado não havia buniteza de um e feiúra de outro. Gente com caruncho ou sem. Nenhuma importância. Pretice dum, branquice do outro. Olhos cegos para cor de pele. Zefina, formosura de antigamente. A mesma tida, no hoje, por Madalena e, no amanhã, por Mercês, filha do Bentinho. No pensar dele. Negra dos peitos arrebitados. Iguais aos de Madalena. Bonita de doer. E posse do patrão. De João Cândido. De Tonho e

Zinho. Dos engenheiros. Dos motoristas de caminhão. E do pai próprio. Que ela dizia mais gostar.

Zefina bem que no primeiro ano de amasiada era que nem filha de Bentinho. Aquela buniteza de tontear jagunço. E Coronel. Mente tretava, sempre! Hoje, a buniteza dela era outra. Nenhuma. Só o viver junto naquele fim de mundo. João tinha seus meninos, Dolores e os bichos pra conversar. Tico só. Não gostava de se abrir pra bicho homem. Quando o patrão falava, respondia com: hum, simsinhô e sômanda!

Houve vez, faz muito tempo, em que Zefina pegou Tonho com a irmã menor dela, Têca. Aguava canteiro de alface. Viu quando ela pediu para menino pequeno seu deitar no meio da horta. Escondidos os dois, entre velhos pés de couve, de tomate, de quiabo, de jiló e de pimenta-malagueta. Têca baixou a calça do sobrinho com riso sem-vergonha. Começou a lamber o pintinho num sem parar.

Tonho já queria ser homem aos sete anos. Prazer tanto não escapava. Não conseguia. Voltou para casa com aquele toco querendo furar o calção. Zefina nada falou. Para o filho. Pediu o facão ao marido, mandou Têca deitar de costas e bateu com lado não cortante. Deixou marca roxa, quase negra, nas costas e na bunda da irmã. Cada chulepada doía em Tonho. Dentro da cabeça dele. Culpa teve. Quando a tia lavava roupa no córrego, viu aqueles peitinhos com jeito e forma de pequi, bonitos e saborosos, pediu: Deixeu mamar nas suas tetas? Vontade tanta. Insistência tanta. Têca cedeu a pedido muito. Ele mamava e a tia esfregava as coxas. Até dar tremeção. Isso mãe não viu. Viu só retribuição. Têca sofreu calada. Tonho sonhava sonhos tenebrosos de desejo de apanhar no lugar da tia. Mãe ignorava pedido. Quanto maior. Acordava com suor pingando. De culpa e de tanto implorar.

Zefina nunca tocou nos filhos. Nem mesmo beliscão. Puxão de orelha. Castigo de joelho em bago de feijão. Como as outras comadres todas faziam com filho mal-criado. Jeito dela de ser. Vida andava, economizava cada vez mais as palavras. Era escutadeira. Dava ordens com os olhos. Olhos terríveis. Se meninos fizessem coisa errada apanhavam com olhar cruel. Olhos da mãe doíam mais muito demais. Briga deles, então, mãe apartava com o olhar. Paravam na hora. Limpavam a roupa. Olhavam para baixo. Seguravam com carinheza a saia dela de tocar o chão. Puxando um pouco. Choraminguentos.

João Cândido conhecia bem aqueles olhos. Tão bem como conhecia suas vacas e o curral. Nem Coronel nem ninguém mais no Cerrado tinha olhos como os de Zefina. Nem mesmo bicho animal. Olhar frio e duro na hora de dar comando. Se viravam para direita, um sai daqui raspando. Para esquerda, um vem cá agora. Direto no fundo do olho, o pior, faz isso mais nunca. Vaqueiro temia que dia qualquer Zefina errasse dose do olhar. Se houvesse lereia muita podia sapecar um tiro de morte.

Matar com os olhos. Num era olho frio, maldoso. Nem esbugalhado. Nem raivoso. Nem de doido bravo. Olho dela falava. E matava. Mãe Zefina. Compreensiva. Podia até sugerir que ela matasse Severino com a força do olhar. Bobeira. Missão de homem.

Castigo do pai era por coisa nenhuma. Chicote. Bainha do facão. Colher de madeira. Havia que estender a mão. Obrigatório. E aguentar firme. Tirasse, pai trucava. Vara de marmelo. A pior. Abria ferida cortante. Como as que beatos de Januária faziam neles mesmos. Véspera da Paixão. Doía que doía. Cândido batia até sangrar. Não era por raiva, dizia. Por merecimento. Remédio melhor que óleo de rícino para acabar com lombrigas de malcriadeza na cabeça.

Tonho aguentava calado. Nem um ai. Pra curar as feridas, banho morno com água de sal. Ardia fundo. Quando João Cândido batia em Zinho, irmão chorava demorado. Fingimento. Modo de criar pena no pai. Apanhava no muito menos e ficava uma hora fungando. Olhos num envergonhez. Tonho era de reação diferente. Fim da surra, olhava na cara do pai com aqueles olhos de que um dia você me paga. Cândido batia no calado. Como se Tonho animal fosse. Menino pensava que pai dele tinha apreciação só por vaca e boi. Filho, não!

O silêncio do apanhar combinava com o zuim da vara de marmelo. Descascada. Batia no escondido de Zefina. Nunca deu aconselhamento de vida falando para os meninos, gêmeos, 13 anos. Um unicamente: gente aprende imitando quem faz o certo. Vaqueiro, quando batia nos meninos, gostava de matutar em fazer um deles doutor. Médico, pra ficar rico. Comprar fazendas muitas com dinheiro ganho nas consultas. Em hospitais. Dono sendo. Sonho. Descuido besta. Filho dele nasceu no Cerrado, onde deve de ficar pra morrer--viver com o Coronel. Pelo Coronel. Apanhando para aprender. Melhor forma de.

X

O vaqueiro lembrou-se do bezerro e da vaca mortos. Disse um peraí pra Zefina e voltou até o curral. De casa viu os urubus. Lá em cima volteavam, volteavam, mas não desciam. Deviam de ter descido. Chamou Nêgo Dolores pra ajudar. Afiou o facão para esquartejar Baixinha e a bezerra. Era preciso salgar a carne. Preparar o couro para curtir. Iam de ter boa boia com carne de vaca. Compensação pra raiva muita do Coronel pela morte de seus animais. Carne de bezerro, maciinha, agradava demais ao Senhor dos Gerais. Parte da carne da Baixinha seria dividida com Dolores e, o resto, vendida para os outros povos habitantes do Cerrado.

Chegou no apuro onde as criações morreram. Povo do acampamento, que assistiu às mortes, esperou saída do vaqueiro e de Madalena para iniciar o saque. Amontoado de velhas, moleques de todo o tipo, armados de afiadas peixeiras, em volta dos bichos mortos. Urubus-homens. Chegou perto pra entender: povo do acampamento estava levando o que podia da carne ainda quente.

O Neguinho, barriga-d'água, carregava os buchos. Aquela tripaiada. Duas moças disputavam o estômago. Buchada daria. As velhas corriam, tropeçando aqui e acolá, na pressa toda de levar pedaço sangrento de quadril, fígado, língua, carne farta. O pequeno careca, cheio de perebas na cabeça, abraçava, no mais forte que podia, dois corações. O que restou do bezerro estava nas costas do mais grandinho. Era uma zoeira em ordem. Briga também pelas pernas com resto de músculo grudado. Povo do acampamento gostava no mais muito da comida mão-de-vaca chamada.

Patrão ia não apreciar de receber a notícia das mortes. Menos ainda ter ciência de que o povo que odiava e queria ver fora de suas terras tinha roubado toda a carne. Menina magricela, vestido esfarrapado, passou em frente de João Cândido equilibrando um par de fígados. Todos breiados de sangue. Baixinha era só um monte de ossos. E uns trapos de couro. Pedaços restantes do bezerro desapareceram levados por um qualquer.

João gritou larga esses trens aí senão mando bala. E balançava o facão. Balançava pra ninguém. Todos sumiram. O povo do acampamento desapareceu que nem vento bravo. João passou pelas caveiras da mãe e do filho. Viu ninguém mais não. Suspendeu os gritos. A gosma melequenta como clara de ovo e a pelanca branca fina,

FOGO, CERRADO!

que cobriam a bezerra no antes de nascer, restaram. Se viva estivesse, Baixinha teria comido. Para ganhar força de alimentar a cria. Evitava cobiça de carcará. Morta, urubu é que faria o trabalho. Voavam cada vez mais baixo. Se importando não com presença do vaqueiro. Mais ousado fez rasante perto da cabeça. Vento do bater de asas tirou o chapéu da cabeça dele. Esfomeado! Desceram todos para junto das marcas de sangue muito.

Vontade de matar aqueles meninos roubadeiros. Tinha. Penca de. Povo do acampamento. Eles ficaram ano e meio morando no sem pagar nas terras do Coronel. Passaram a manta nele. Asfaltaram a Rio-Brasília do entroncamento de Patos-Pirapora até o Rio Santo Antônio. Construíram a ponte. Vieram do Norte com passagem pela represa de Três Marias. Companhia fez mudança das beiradas do São Francisco para a beira do Santo Antônio. Terminada a obra. Ordem de Severino: ninguém devia de mudar. Ocupar a fazenda. Acabar com latifúndio. Com latifundiário. Oligarca.

O vaqueiro-jagunço não esperou a chegada do dono das veredas e dos grotões para contar a história. A do roubo das carnes de mãe e filha. Botou manchão, arreio e cabresto no cavalo de nome Ventania. Dono dele era o Coronel. Arrochou a barrigueira. Animal arisco. Coiceou reclamando. A pata passou raspando o ombro de João. Bem que não pegou. Na hora do freio, Ventania trincou os dentes. Vaqueiro falou um abre a boca seu abusado.

121

O cavalo não gostava de domínio dos outros. Jogou muito peão no chão. Menos Cândido. No último dia do amansar, perna do vaqueiro-jagunço parecia dar volta na barriga do garanhão. Grudou que nem sanguessuga. O cavalo empinou bonito. Cândido, peão melhor dos Gerais, diziam, mostrava cara de alegria. De menino travesso. Tivesse asa, cavalo voava. Deu de bunda. Galopou pulando e mexendo o corpo que nem cobra. Pior que montar a pelo em touro. Os dois corpos de juntaram. Canseira e muita birra de João para guerrear, num sem parar, derrotaram Ventania.

João gostava demais do garanhão. Respeitava sua braveza. Por isso, não deu atenção quando os dentes do bicho trincaram. Usou força no entredente e freio entrou. O cavalo ainda tentou morder o vaqueiro. Quase tirou um pedaço. Arrancou trapo da calça. Pelancas brancas da bunda do homem apareceram. João teve vergonha. Um sem porquê. Gente não havia para ver. A perna comprida passou fácil pelo arreio. Encostou a espora. Ventania disparou marcha quase galope.

Lá de cima, o peão via melhor aquele mundão sem--fim. Seu Gerais de viver. Não de posse. O Cerrado. O cavalo era dos bons, de dar cobiça. Vermelho escuro--escuro. Quase negro. Grande. Fogoso. Rédea nem precisava ter. Nenhum boi escapava de seu galope elegante. Nem mesmo Monarca. Pelos sem carrapicho. Virilhas e bagos com carrapato nenhum. Animal bem tratado. Merecedor de.

Fogo, Cerrado!

João Cândido tinha parecença com Ventania. Diferiam na inquietação. Vaqueiro andava no devagar. O garanhão queria galopar, sempre. Comer estradas e, depois, voltar depressa pras suas éguas. Reprodutor dos bons. Baios castrados inveja muita tinham dele. Todos mais pareciam boi carreiro. Ou burro de olaria. Cavalo bom não pode ser feito de mansidão. Deve ser esquentado.

Severino não aceitou rédea. Não aceitou ser amansado. Ia de. Certeza muita de João. Espora seria facão ou bala. Morto não pula nem dá de bunda. Dinheiro bom a Companhia ofereceu para Severino levar seu povo para Brasília. Rejeitou sem mais. Queria mesmo era ficar ali. Roubar a terra do Coronel. Numa desfaçatez. Inimigo pagaria com a vida. Não tinha nem mesmo a esperteza do garanhão. Quando cavalo viu que força muita dele era menor do que artimanhas do vaqueiro, aceitou paz. Ganhou o que de melhor. E nunca baixou a cabeça. Montar em Severino antes de matá-lo. Amansar ele. É?

Houve vez que um burro velho não queria largar companhia do garanhão. Ia aonde ia. Quando Ventania passava por colchete ou mata-burro, o manquinho, suado, cabeça baixa, ficava na beira da cerca esperando a volta. Dormia em pé, pálpebras caídas e tristes. Parecia companheiro de para sempre. O reprodutor, cabeça alta, só músculos, até parecia sentir falta do burro manco. Lá estava ele ao seu lado. Orelha troncha virando de um lado para outro, procurando saber o caminho de Cândido.

João viu, montado em Ventania, o Coronel ao longe. Teve receio muito de contar sobre a morte de Baixinha e da cria. Foi campear vaca perdida. O burro ficou no primeiro colchete. Relinchou triste. João, sentado de lado, bunda meio pra fora, mão na cabeça do arreio, rédea segura a despropósito, voltou a vista. Balançou a cabeça. Desconformado. Tristeza de animal doía nele. Não aguentaria de pena ver manga-larga-marchador quebrar o tornozelo. Corpo bambo. Esporeou Ventania. Cavalo apurou o passo.

Todo dia, vaqueiro se embrenhava no Cerrado. Sozinho. Deixava Tonho e Zinho irem só até o pastim. Meninos desobedeciam. Conheciam as brenhas da mata fechada. Suas trilhas. Cerradão! De córregos muitos para encher o Santo Antônio. Os bois vaca tretavam com o vaqueiro. Ficavam no escondido do capão. Nas matas da beira de riacho. Olho de vaqueiro era de gavião. Na primeira ponta de mancha branca, vozeirão saía forte. Eia, vamu. Eeei, boi! Animal levantava. Sem reclamar. Chamado de João, esperado. Pouca serventia se esconder do homem. Vaqueiro tinha esperteza maior. Animal não gostava de ir para o curral. Ficar preso. No de noite.

João Cândido campeava com precisão. Contava sempre, antes do apartar a boiada: vacas, cinquenta e três; bezerros, dezessete; touros, dois; carreiros, doze. Nunca foi à escola. Depois de separar e conferir, investigava um por um dos animais. Via onde ninguém via. Mordida de morcego. De cobra. Ovo de varejeira. Passava creolina. Pincelava que pincelava. Tirava canivete da gibeira para furar berne. Sem machucar. Cuidava dos bichos com carinheza. Enfezava nunca. Ofensa de cobra em boi deixava o vaqueiro jururu. Como se parente o picado fosse.

Vacaria preferia ficar solta no mato para escapar de morcego. Bezerros também. Protegido pelas mães. Bobagem deles. Morcego gostava do breu. Dava anestesia antes de fincar os dentes e chupar o sangue num sem parar. Animal nem percebia. Vaqueiro divergia. Preferia encurralados. Mais seguro. Embora prisão fosse como. João viu, com olhos de coruja, muito morcegão chegar no silencioso, escolher veia grossa e ficar ali chupando sangue quente de cavalo, cabrito ou vaca. No pasto. Em dia de Lua cheia.

Rato vampiro voador era ousado. Atacava também no curral. Mesmo alumiado por luz de lampião de querosene. Houve vez que João armou rede onde bezerros estavam arranchados. Dormiu sono profundo. Canseira de num acabar mais. Como no dia em que despencou desmaiado no colchão de bosta seca. Entrou noite adentro. Sem perceber. Acordou quando o rato com asas levantou voo de seu cangote. Fez ventania no nariz dele. Passou a mão no pescoço e sentiu lugar de entrada dos dentes afiados. Mais até do que agulha de injeção do Seu Honestino da Farmácia de João Pinheiro. Dor nenhuma sentiu. Bicho usava anestesia. Hospital, não. Sempre em falta.

Medo teve, sim, de pegar doença de cachorro louco. Raiva! Ficar babando aquela gosma pegajosa. E vontade de morder. E morrer. No depois. Nem Sá Joana salvaria. Doença maldita. João não dava conta de entender como cachorro manso, nascido e criado no quintal, virava doido bravo, correndo sem rumo certo, com cara de decisão de encontrar bicho qualquer para morder. Babando. Queria companhia para sua raiva. João sonhava sonho ruim no quase sempre. Via os olhos esbugalhados do Cafuné doido. Olhos de assustar mais que os de Zefina. Acordava com tremura no corpo todo. Roupa molhada. Breada de suor fedido. Logo ele, feito só de valentia do Cerrado, ter medo de olho de cachorro? Sonho-pesadelo acabou virando verdade.

Cafuné amanheceu dia passado soltando gosma branca pela boca. Cândido viu no depressa marca dos dentes do morcego. Chupou sangue de veia perto da pata do animal. Cachorro dos meninos pegou doença da loucura. Agarrou uma pá para matar bicho raivoso. Cafuné olhou fundo nos olhos do vaqueiro. Pulou na goela dele. Mordida no já pronta. A pá acertou no antes bem no meio da cabeça do bicho descontrolado. Crequi. Estrebuchou.

Zinho viu. Chorou. Não ia mais poder istumá Cafuné na hora de pegar frango para matar e comer. Cachorro separava sempre o melhor. Cercava. Grudava nas pernas. Sem machucar. Tonho fez cara de pergunta para o pai. Louco, explicou João. E nada mais disse. Pegou Cafuné pelo rabo e arrastou para os fundos da mata do Cerrado. Fez cova funda. Enterrou. Menos uma boca pedinte. Sem ferocidade. Pouca serventia. Como todo cachorro. Tonho catava frango muito melhor. Doença devia mesmo é de ter tomado conta do casal de dobermann que patrão ganhou do Homem de Verde. Nem para campear gado serventia tinham. Desperdício. Ficavam na latição. Preso na corrente na sede velha. Com Mariquinha dando de comida.

Bem que não teria de cavar para enterrar o comunistinha do Severino. Vez houve que olhou dentro mesmo dos olhos daquele fié-da-puta. Tinham parecença com olhos de Cafuné quando agarrou doidice. Parecença com os de beatos barbudos, com batina mulambenta, que cruzavam o Sertão dos Gerais ameaçando o povo de sofrimento muito. Mais ainda. Doido varrido.

João criou certeza de que barbudos pregadores e comunistas tinham pegado raiva com mordida de morcego doente. Por isso andavam espalhando a enfermidade sem cura pelo mundo. Mordida deles, de passar doença, era dada na moleira. O veneno, falatório de meter medo. Um, de um Deus cruel. Outro, da sua reforma agrária na paz ou na marra. De castigo futuro. Ruim demais. Pavoroso. Arder nas chamas eternas. Ser enforcado pelo povo camponês. Com povo operário de fábrica tocando o berrante. Vaqueiro nunca tinha visto operário na vida. Falação de beato e de comunista fincava fundo na cabeça do povo, como mordida de morcegão. Ideia grudava nas entranhas do cérebro e jeito nenhum dava conta de tirar. Não havia vacina contra a doença de pensamento.

XI

Tarde estava no começo do acabar. Uma estrela apontou. Dalva, nomeou o vaqueiro. Noite penava para expulsar o Sol que brigava pra ficar ali esquentando o povo da Fazenda Santo Antônio. Dia esticado. Despropositado. Bem ali, no meio do caminho de Belo Horizonte a Brasília. Nos Gerais. Cerrado. Lugar de homem povo. Zinho e Tonho voltaram para casa junto com o pai. Zinho com uma capanga cheia de pequi. Deixou em cima do fogão. Correu até a horta. Avisou mãe. Bom, porque a carne de vaca, da Baixinha e de seu filho, tinha tomado um sem rumo com o povo do acampamento.

Zefina gostava muito dos meninos. Mais de Zinho. Ele tinha um olho azul. O outro, verde. Vinha gente de fora ver os óios do minino. Ele nem dava conta. Passava o dia com Tonho, caçando, ajudando mãe e comendo manga, araticum, coco e coquinho. Não provou fruta de lobo. Dos guarás. Uivo de noite, na escuridão, dava medo bom. De arrupiar pelos dos braços. Zefina lembrou dos tempos em que Zinho gostava de construir curral para seus bois feitos de chuchu, patas de palito de fósforo ou de graveto. De matar gato com estilingada. Teve dose pequena de saudade. Era de nunca falar.

Tonho não era de pouca fala. Menino esperto, recadeiro. Montava no cavalo do Coronel e fazia trabalho de qualquer homem. O Senhor dos Gerais sentia orgulho muito do menino. Aprendiz de vaqueiro. De jagunço. Treinou no escondido a matar. Sem dó. Dó teve uma vez. Matou pica-pau macho com bodoque. Viúva mulher dele, mais menorzinha, ficou no desespero. Queria acompanhar o marido. Na morte. Bicou o pescoço do menino quando ele pegou o macho pelas pernas. Tonho estranhou. Fêmea de pica-pau era que nem Sinhazinha. Baixava a cabeça sempre diante de ordem do Coronel. Esperava a vez de comer. Pacientemente. Se nada sobrasse, nunca reclamava. Pica-pau nem prestava atenção nela. Como se não existisse. Coisa, não bicho igual. O que o pássaro topetudo não sabia era o quanto a mulher gostava dele. Queria morrer junto, a coitada. Carregou de cabeça para baixo. Pingos de sangue caindo do bico. Bico dos mais de forte de tanto bater em tronco e galho. Para tirar bicho pequeno de sua toca. E comer. Agora, ia ser comido. Parte da passarinhada.

Tonho, ademais, cortava lenha. Aguava horta. Cozinhava. Ia pra capina do roçado. Levava boia para roceiro. Água fria do poço do Santo Antônio. Na cabaça. De quatro litros. Andava a pé do rancho ao Bar do Nagib. Meia légua caminhando. Sem cansar. Menino homem já experiente no trato com mulher. Sabia como amansar uma. Igual potrinha filha do Ventania. Montou nela em pelo. Levou tombo de quebrar costela. Colocou no tronco. Usou arreio de jegue. Deixou pular. Terminou domada. Como mulher de pica-pau. Mas só ele podia montar nela.

Os meninos já estavam jantados. Foram catar lenha pra fogueira de de noite. A de esquentar conversa sobre morte. Ordem era de armar em frente à tapera do Nêgo Dolores. Juntaram uma braçada de gravetos. E uma tora. A noite prometia ser friorenta. Demais da conta. Quando catava graveto no quintal da casa do Coronel, Tonho ouviu a Rádio Nacional do Rio de Janeiro dizer que uma frente fria estava vindo para os Gerais. Já tinha matado 37 mendigos em São Paulo. Ele não sabia o que era mendigo, mas conhecia a morte. E o frio no demais. E essa tal de frente devia de estar chegando, pois nem bem estava por acabar o dia e soprava aquele ventinho de entrar pra casa, na correria. Teria precisão até de ajeitar, em cima do corpo, a colcha de retalhos cozida por vó Anastácia. Tampar a cabeça para evitar tremeção. Ficar esquentando mão e bunda no fogão de mãe Zefina.

Desdaquela hora, o menino pensava num sem parar nunca na chegada da frente fria no Cerrado. Dia marcado pela rádio: amanhã, domingo. E rádio não tinha o costume de contar lorota. Iam morrer animal e gente. Como em São Paulo. E o frio que estaria nos Gerais vinha na carreira. Tinha já pulado Belo Horizonte. Povo da Fazenda Santo Antônio estaria que nem pedra-d'água. Pode ser? Só Tonho sabia do segredo que ouviu na rádio. O que a Nacional falava verdade era. Sempre. Não contou pra ninguém. Medo de sova de João Cândido. De ser chamado de bobo por Dolores. Retardado. Nêgo gostava de mangar dele. Por motivo nenhum. Parecia ciúme de homem. Como o irmão, via com desprezo o bem-querer do Coronel por ele. Carecia advertir de morte por chegar. Não podia. A frente não ia deixar escapar um. Morte no gelo. Morreriam o povo do acampamento, seu povo, povo carvoeiro, os homens do Coronel e a gente toda.

Dia do juízo final. O do catecismo. Rádio falou. Ele ouviu. Era só esperar a morte. Não havia de haver salvação. Morrer de frio, tremendo. Chá de quinino ia resolver não. Pior que nem era aquele frio de febre braba que agarra tremedeira no calorão. Maleita. Dengue. Só morrer. Tomara que a frente fria chegue bem no de noite. Pegar todo mundo dormindo. Ninguém nem notaria. O sono ia de ser mais demorado. Pra sempre. Uma tremeção. Um estrebucho. E pronto. Urubu se encarregava dos mortos daquele Sertão. Se não morresse também.

Fogo, Cerrado!

Frio chegando, aproveitaria pra viajar no Ventania pra ver, antes de morrer, Mariquinha, a menina que mais queria de mulher sua. Para sempre! Depois de Madalena. Vento gelado iniciaria forte. Zuim! Zuim! Ele, na hora mesmo, subiria na cacunda do cavalo. Planejou. De longe, só assuntaria a morte dos povos. Nem ia de dormir. Só dar pressa no Ventania. Sangrar ele, quem sabe. Pra esquentar. Urubu, que num deve de dormir mesmo, porque no negror próprio voa toda a noite e ninguém nem percebe que está lá nos altos gelados, não poderia comer ele, Tonho. Nem o cavalo. Não queria morrer. Ventania ia galopar mais do que a frente fria. Patas dele tinham asas.

Se frio de matar não ganhasse jogo de pegador com Ventania, Tonho chegaria à casa de Mariquinha. Pique. Faria com a menina, a escolhida para ser mãe dos filhos dele, tudo que aprendeu com Madalena. Vinha arrodeando Mariquinha há tempo. Parecia Monarca com novilha nova. Fez promessa: ela aceitava ser dele, toda, e iria de joelhos do rancho até o restaurante do turco Nagib. Nêgo Dolores tinha ensinado jeito dela enrabichar, aceitar ir pra detrás das bananeiras ou para o meio do coqueiral para prazer muito ter. Domingo amanhã, antes do frio chegar no rancho dela, vou lá e faço o feitiço do Nêgo. Era só ver onde ela mijava, pegar bunda de tanajura e um pedaço de fumo e botar em cima. Depois, aparecer no de repente na casa da sede velha da Fazenda Santo Antônio, ir para o quintal e esperar ouvir uns passos de mansinho seguindo os dele. Mariquinha. Seria ela melhor do que Madalena?

Mariquinha nunca havia saído da roça. Morava com a tia viúva na sede velha, perdida no meio do Cerradão. Longe, pra mais de dezoito léguas da rodovia. Da nova sede. No quintal, pés de laranja-baía já um pouco embranquecidos, que nem gente de cabelo de algodão. Frutas eram docinhas de fazer dó. Dó de tirar do pé. Pé do sabiá dono. Três jabuticabeiras. Altas e boas de trepar. Deviam estar perto dos 100 anos. Pé de manga--rosa. Manga-espada. Manga-coquinho. Limão. Laranja-lima. Tudo ali era velho, menos a menina dele dos peitos pequenos e redondos como morro do cerrado. Roseados, como flor de ipê.

Mariquinha tomava conta dos cabritos que Coronel criava na sede velha. Bicho pastava nos campos limpos. Capim esturricado pelo Sol. Parecia gostar de comer até pedra, como ema. Acabava com todas as plantações das roças. Se deixassem. Uma vez Tonho ficou espiando a menina de longe. Viu quando ela levantou o vestido no meio do pasto, baixou e mijou. Mijo apertado. A vontade cresceu num de repente dela ter. Queria ver os trens de Mariquinha detrás da bananeira. Lamber a escolhida. Usar aprendizado muito tido com Madalena.

Naquele dia, ano passado, vontade era tanta que decidiu montar cavalo em pelo, um qualquer solto no pasto, e galopar para os campos limpos, terra da manada de

Fogo, Cerrado!

cabritos. Queria amansar a vontade. Escolheu uma cabra, viciada. Em meninos. Aqueles que não tinham com quem matar vontade tanta. Ainda bem que fêmea mansa estava lá. Se não, a menina seria cabra brava pega na força do braço mesmo. Passou as mãos nas tetas cheias da cabrita. Fartas. Macias. Mamou. Mamou como tinha mamado em porca. Mãe mandou para não dar doença de pele. No mesmo dia tomou banho com sangue de cachaço. Pai mandou para pegar força muita. Afastar doença. Remédio de Sá Joana. Cabrito filho veio chegando pra mamar, também. Deu um chute na bunda dele com a matera de ponta furada. Gritou um sai pra lá, peste.

Pinto pra fora. A cabritinha olhava com os olhos de perguntar de toda cabrita. Como assim? Não estava acostumada? E muito. O Cerrado estava cheio de capiau da roça matando vontade de suas entranhas em cabritas, mulas e éguas. Ela parecia que, agora, estava entendendo. Começou um rela-rela, falando com voz mansa: quieta, bichinha, cê num é Mariquinha, mas é agora que nem fosse. Aprumou o pinto. Ela deu um passo pra frente e outro pra trás. Gostou? Alisou debaixo da perna dela. As tetas. Com vagareza. Calos nas mãos num eram ainda que nem os do pai. Mas arranhavam. A cabrita sentiu o pinicar. De leve. Quando Tonho foi enfiar fundo, no mais melhor, na horinha certa, ela deu uma mijada boa. Afastou as pernas e verteu água quente e fedida. A calça molhou, inteira, como em dia de chuva brava. Camisa também. Capa nenhuma dava jeito de evitar. Mijo de cabra é muito. E demorado. Escapulir, como? Bem que deu pulo grande para trás. Bicho arisco. Assustado com arranhão de leve na teta.

Pras coisas não subirem pra cabeça, o jeito que teve foi bater uma bronha no rápido. O pinto baixou na hora. Nem duas deu. Com Madalena eram cinco. Ela querendo mais. Mariquinha seria um sem parar nunca. Gozo depois de gozo. Até morrer. Preciso fosse. Para fazer o feliz dela. Carecia secar a calça. Se chegasse em casa molhado, fedendo a mijo, Zefina ia desconfiar na hora. Mandar pai dar tunda doída. Todo o povo sentiria o cheiro do mijo. Mangar dele porque estava comendo cabra. Ou égua barranqueira. Já tinha quebrado o braço quando levou uma para as barrancas do Santo Antônio. Não aguentava de tanta gozação. Vergonha tanta. Maior que dor. Deitou no pasto, pelado, esperando roupa secar. Dormiu. Mariquinha tinha ido atrás de Tonho. Sem ele perceber. Ficou escondida detrás do cupinzeiro. Viu tudo. E gostou de Tonho. Do jeito que ele alisava a bunda da cabra. Os peitos, então? Da fala macia. Do pinto teso e liso. Vara grossa de marmelo pelada. Ela mesma começou a se esfregar. Num sem parar. Deu tremeção boa. Uma, duas, muitas vezes.

Tonho era homem que Mariquinha no mais queria. Precisava ele dizer alguma coisa. Pedir ao Zico Ferreira pra escrever uma carta se declarando. Ela ficou ali olhando. Para guardar na cabeça imagem de Tonho pelado. Para continuar tremeção no de noite. Queria lembrar-se do pinto subindo. Riu não quando a cabra mijou. Queria ser tocada pela mão de Tonho. Colocar aquela gostosura na boca. Bem de leve. Carinheza maior. Chupar. Igual manga. Manga-espada. A grande. Do quintal. Mariquinha queria ter sonho de Tonho deitado na tranquilidade lá dele. Todo desvestido. O sozinho dela ia de durar tempo no demais. Para aproveitar. Gozo bom.

Mariquinha, moça, 13 anos. Com 11, padrasto, que não era padrasto, fez dela mulher. Fié-das-unhas! Homem mais nenhum ia de botar a mão nela. Só Tonho. Enquanto não recebia a carta declarando, ficava com a imagem dele no para sempre de suas noites muitas, sozinha. A tia velha, tão velha como os pés de jabuticaba, era companhia nenhuma. Noutro tempo, quem sabe, lá viria Tonho com um agrado. Um vestido de chita. Ela ia. Dengosa e virgem. Com um punhado de tomate amassado. E coado. Pra jogar na xoxota na hora de. Fingir que era sangue. Tonho nem ia desconfiar. Lamber, não. Na primeira vez. Nas outras todas, sim.

Tonho, catando graveto, pensava no distante dia em que cabra virou Mariquinha. Na bunda arrebitada de menina. Que ia de provar. Ver se era apertada e gostosa demais. Igual a de Madalena. Na beira do Santo Antônio, ela pediu. Levou pinto duro para o buraco certo. A noite já era quietude. Noite de céu limpo. Lua cheia escondendo as estrelas. Pensamento em Mariquinha fugiu num repente porque medo da frente fria, no amanhã, não saía da cabeça dele. Nem morte de Severino. Tonho fez espécie de arapuca com os gravetos, encostou uma tora, pegou a lamparina, tirou o pavio e jogou um punhado de querosene no monte de lenha seca. Riscou a binga. Fogo pegou logo. Agachou, deu duas sopradas. Graveto pipocou. Tudo pronto para a conversa sobre morte do Coronel com seus dois jagunços de confiança muita.

Nêgo Dolores foi chegando para a fogueira. Caminhar de pantera-negra. Numa linha reta. De cachimbo na mão, volteou os olhos assuntando os preparativos e a labuta do Tonho menino. Vento de ventinho frio. Um dedo de prosa com Tonho. Antes do Senhor dos Gerais chegar. Tempo teria de mangar de Tonho e de sua Mariquinha. Perguntou: ô Tonho, já botou a tanajura no mijo da sua escolhida? O menino ficava no mudo mundo lá dele. Prosa curta e esticada.

Dolores era falador, sem ter o que falar. Para Tonho. Ia dizendo as coisas, mais por dizer. Nêgo gostava de contar histórias de mistério. Extraordinárias, explicava. De absurdo. Soltava palavreado difícil ao vento frio. O menino cansou e ficou fazendo que escutava, pensando em Mariquinha. Nos peitos pequenos e duros da menina. Cabiam inteiros na mão dele. Na bundinha ponteada. Nas ancas. Seria boa parideira. Não deixaria aqueles peitos ficarem como chuchu murcho. Teta

FOGO, CERRADO!

chocha, nem em vaca ficava bem. Mariquinha ia ter uma blusa branca de crochê, toda furadinha, pra ele poder ver o biquinho rosado do peito dela. Só de pensar nisso, o pinto dele tava duro. De novo. Cruzou as mãos em cima da braguia. Para Dolores não ver. Continuar mangando. Nêgo num sabia o que Tonho aprendeu com Madalena. Nem imaginava.

Mariquinha num ia ter mais calos nas mãos, como os de agora, feitos de tanto varrer para a tia velha. Todo dia passaria manteiga, óleo de coco, nata, água-de-rosa, o que fosse pra deixar as mãos dela lisas pra tocar de leve e de mansinho no pinto seu numa hora qualquer sem ser de pensado. Na beira do fogão, no chão liso, no barro do quintal, no curral e no meio dos cabritos. Nas noites e nos dias todos. Tonho pensando em Mariquinha. Nêgo Dolores contando casos. Da mãe dele, Nhá Preta, neta de escravos. Revelou segredo sobre o pai verdadeiro. Tonho nem escutou. Nhá cuidava dos filhos do Coronel e de Sinhazinha, quando ia para a cidade grande. A capital dos Gerais. Belo Horizonte.

Nhá Preta sempre fiel. No querer dela. Nunca pensou em morar sozinha. Ou com os outros. Pagar aluguel. Chegar sete da manhã e sair cinco da tarde. Esperar ônibus. Com Coronel era como da família. Tinha médico. Comida boa. Cama de verdade. De mola. Firme. De casal. Dava conta do peso da bunda grande demais. De tanajura. E dos peitos que mais pareciam melancia. Pagava com trabalho. Embora nem precisasse. Amor distante de uma noite. Sem reclamar. Cabelos brancos. Gostava de rapé. Escondida, mascava fumo.

Nhá Preta tinha sempre uma comidinha pronta: quiabinho com carne, abobrinha, porco assado e angu; galinha feita com urucum, cebolinha muita, salsinha, moela e sangue coalhado; arroz-tropeiro, carne-de-sol, couve e mandioca frita; mexidão com pimenta--malagueta no de noite; ou macarronada com muito molho de tomate e ovo cozido por cima. Junto com queijo ralado. E, para terminar, goiabada-cascão com queijo fresco; figo, casca de laranja-lima e de mamão verde em caldas. Nhá Preta sabia fazer tudo de dar água na boca. Com sete anos começou no fogão de lenha. Parou de aprender nunca. Coronel era como filho dela. Mais até: carecia cuidar melhor, porque era homem exigente. Brabo, às vezes, mas bom demais. Parente. Pão de queijo e jiló. Caprichava nessas duas comidas pra agradar o homem. Deus no céu e ele aqui.

Dolores contava sempre histórias de Nhá Preta. Silêncio sobre o pai. Perguntado fosse. Ninguém nunca falou verdadeiramente quem era. Ele preferia manter a boca fechada. Povo fuxicava que fuxicava. Cada dia, pai de Nêgo era um diferente. Inventaram até que o verda-deiro mesmo era médico de Corinto. Nhá Preta estava indo de trem de Montes Claros para Belo Horizonte. Doutor tomou trem em Corinto. Errou de cama no carro-leito. Dormiu com a mãe de Dolores. Ninguém conseguiu nem mesmo cochilar no vagão-dormitório. Gemeção de prazer balançava o trem, contavam. Nêgo queria pôr um fim nessa pendenga. A do pai verdadeiro dele. Se acercou da fogueira. Parou de falar. Hora de acabar fingimento. Vontade nenhuma de ter mais duas caras. Nos Gerais, a de atrasado. Na capital, a de estudado. Sofria. Caçoava dele mesmo nos sonhos tormentos.

XII

Calor afastava os pensamentos de raiva acurralados no coração. Silêncio na espera da chegada em seguida do Coronel pra ter conversar sobre morte. Ouvir logo as ordens pra matar o homem do povo do acampamento. Nêgo Dolores não tinha o que perguntar. Questionar. Defender as terras da Santo Antônio. É o que era. Nhá Preta estava mais que certa. Futuro só tinha aquele que sabia esperar hora de cavalo passar arriado. E montar no tempo preciso. Mãe tirava filosofia da natureza: veja a mata, parece sempre a mesma; é não; todo dia morre e nasce planta nova. Eterno redivir. Sabia que Coronel estava com a cabeça quente com a história do povo do acampamento. Viu que variava antes de ir para a fogueira, dar ordem final: matem Severino! Nêgo escutou voz de gritaria do Coronel, na Casa-grande, sem nenhum porquê: cadê café? café tem borra! traz água pra lavar os pés! essa água num chega? tá quente! quero morna! agora, tá fria! num pedi morna? êta mulher burra! esquenta comida! só isso? ainda num tá quente! parece que somos da pobreza!

Sinhazinha ouvia a gritaria calada. Daria o troco depois. Embirrava. O amuado dela criava desespero no Coronel. Sem ter ação. Mulher dele sabia, como ninguém, fazer birra. Eles não eram da pobreza. Tinham posses. Coronel bem sabia. Mandaria Madalena fazer comida melhor. Podia trazer coisa diferente da cidade: azeitona, palmito, farinha de trigo e até aveia Quaker para o mingau que ele gostava de tomar de manhãzinha, antes de montar no Ventania para vistoriar suas terras e o roçado dos meeiros. Desde que o mundo é mundo tem território marcado. Até entre os bichos. O garanhão morde e escoiceia de morte, com as patas de trás, cavalo outro que se engrace com suas éguas. Marcava suas terras. Suas fêmeas. Exclusivas. Aqui ninguém entra. São só minhas. Se quiser uma delas, tem briga. Sempre. Ganho.

A Bíblia já falava nos ricos e pobres. Sinhazinha bem que seguia a Bíblia, ajudava os pobres. Madalena, empregada espaçosa que tinha vindo dos Montes Claros, num recebia casa, comida, roupa e mais dinheiro no final do mês? Que tinha mais que reclamar? Não foi expulsa da casa dos pais dela? Por safadeza. Gostava no demais de homem. Ali conseguia tudo. Caprichar na

FOGO, CERRADO!

comida do patrão era o de menos. Costurar camisas puídas. Ajudar nega Zefina a aguar a horta. E lavar a roupa toda pra tirar o encardido. Os meninos filhos dela e herdeiros dos Gerais não estavam com a Nhá Preta, mãe do Dolores, em Belo Horizonte? Dando trabalheira muita. A velha nunca se queixou. Era da família. Que estava pensando Madalena? Tinha que trabalhar mais. Se não quisesse, era só falar. Coronel botava ela no entroncamento. Voltaria pra Montes Claros. Num ia mais usufruir riqueza alheia. Pobre tem sempre que existir pra que o rico possa existir. Como é que ia de ter mundo sem pobre? Sem empregada? Despropósito?! Deus nunca ia de fazer as coisas erradas. Exemplo outro: homem manda; mulher obedece; ou finge quê.

Ô mulher? Mulher! Num tá vendo que quero jantar? Madalena era cara larga mesmo. Crioula das mais bonitas de todas as redondezas dos Gerais de Montes Claros, Pirapora, Paraopeba e Paracatu. Da banda do Cerrado que fazia divisa com a mata fechada, Amazônia. Pernas roliças. Lisas como madeira. Bem torneadas. Olhos tizius. Bico do peito marrom. Gostoso de chupar. Era só encostar e ele ficava durinho por debaixo da blusa sem nada pra esconder. Coronel quis se acalmar nas coxas de Madalena antes de ordenar a morte. Mandou Sinhazinha ir ao rancho de João Cândido ver se ele já estava junto com Dolores, seus homens fiéis pra qualquer serviço. Jagunços. Na volta, pra demorar um tiquinho mais, deveria tratar com Nega Zefina sobre os trens da horta em falta. Carecia pegar uns cinco carrinhos de mão com bosta de boi, esterco. Melhor. Era jeito de ter mais tempo para ficar junto com Madalena. Para acalmar os nervos.

Nem bem esposa saiu, gritou Madalena vem cá. A mulher chegou carregando sua beleza toda. Pena não ter conhecido ela no antes. Ia montar casa em Paracatu. Sem ter precisão de mandar mulher sair. Como agora. Fazer os trens no apressado. Coronel segredou para Nêgo Dolores que Madalena tinha coceira no entre as pernas. Desconfiava dela. Muito. Desejo nervoso fez Coronel se esfregar na mulher de pé mesmo. Esquisito. Ela parada, esperando o acabar daquela ansiedade de esfriar os miolos. Ficava quieta. Ele roçava o pinto nas coxas dela, pra lá e pra cá.

Melhor seria estar agora em Montes Claros, na casa de Marcolina. Mulher decidida. Seguidora da velha Tiburtina. Já morta. Desconhecida no Brasil todo. Revolucionária do Sertão de Montes Claros que quis mudar o Brasil. Para moderno. Quando pai de Marcolina começou implicância com homem, com o que podia e o que não podia fazer, decidiu viver vida própria. Exemplo de Tiburtina citava sempre: ela casou com João Alves sem a aprovação dos pais. Marcolina conheceu a velha inconformada quando menina era ainda. Escutava histórias contadas. Defendia a mudança. Não se importava com pais contrariados. Deu apoio e participou de atentado. Foi chamada de terrorista.

Cangaceira. Bandida. Víbora sanguinária. Fera humana. Mentirosa. Mexeriqueira. Político nenhum aceitava direito de uma mulher estar metida nos rumos do país. Tiburtina queria mostrar a todos que o Brasil não era um país de escravos. Sofreu com isso. Foi chamada de Eva, a traidora. A que levou Adão ao crime. A pecadora. A corrupta. Marcolina tinha estima de não acabar mais por Dona Tiburtina. Queria ser mulher e livre.

Marcolina montou loja para vender jipe japonês Toyota. Fazendeiro gostava. Abriu casa dela para as moças da cidade com pai e mãe de severidade em demasia. Madalena, uma delas, depois que ficou tida como rebelde, indomável, por não suportar mais ordens do pai. Mudou-se para a casa de Marcolina. Pai Batista. Como pode uma filha de protestante ir parar numa república de mulheres? Falta de respeito? Mínimo. Ele, pai, aproveitou ausência de Marcolina, invadiu a casa, revólver na mão, levou Madalena de volta pra casa. Na força. Sangrando pelo nariz. Depois de tapa levar na cara e coques na cabeça, abandonou resistência. Amansou. Olho inchado. Corpo moreno arroxeado. Cor de violeta querendo tapar o marrom.

Deus quis provar a família. Filha tinha planos de ir pra bem longe de Montes Claros. Para ter a imensidade de homens que quisesse. Ter! Mas pai ordenou: seu mundo era o daqui. Brandiu. E não voltaria, no nunca, para a República de Marcolina. Sozinha? Na perdição? Não sabia que Deus era bravo? Matou e deixou matar infiéis. Tretar com Ele era perigoso. Demais mesmo. Foi Dele a ideia de quase todo mundo morrer no dilúvio. Salvou só uns poucos. Mandou pai matar filho. Sacrifício. E era só um teste. Imagina? E Sodoma? E Gomorra? Hein? Esqueceu? Já! Pecado matou criança, velho, inocente. É infinito o espaço para o ódio no coração de Deus contra os infiéis.

Para não deixar o marido matar a filha pecadora, mãe de Madalena a trancou no quarto. Escondeu chave nos fundos da cristaleira. Pai falou com os irmãos batistas da igreja. Recebeu aconselhamento. Divino. Que filha dele aprendesse no trabalho de empregada. Com Sinhazinha, mulher de virtudes muitas. Devia de entregar a filha para homem amigo e educador. O Coronel. Por exemplo. Companheiro antigo. Dos tempos das tropas. De levar gado para Barretos. Pegaram amizade nas viagens de sem-fim. Tropeiros.

O amigo era homem duro. Disciplinador. De princípios. Rigoroso. Comandava peão muito. Só Coronel para dar jeito na filha. Não teria como negar pedido de companheiro de boiadas. Mandou recado. Recebeu resposta: amigo é para hora ruim, compadre. Pai arrombou com um pontapé a porta do quarto. Tirou Madalena arrastada pelos cabelos. Mãe, chorando num sem parar, vestiu sua menina com vestido de cidade. Entrou, forçada, na jardineira que ia de Montes Claros até Patos. No entroncamento com a Rio-Brasília, ônibus parava para passageiro esticar as canelas e tomar café com pão de queijo no restaurante do Posto Shell. Coronel estaria à espera, como acertado foi. As pessoas apiaram da jardineira. Não viu a filha do amigo. Será que veio não? Decidiu entrar no ônibus. Madalena estava deitada no banco. Encolhida. Se escondendo. Vontade dela era seguir viagem. Ganhar mundo. Daquela vez seria não.

Coronel ficou besta de bobo com tanta formosura. Esfregou que esfregou os olhos. Tropeiro amigo dele, pai da moça, era danado de feio. Como produziu beleza desta imensidão? Chegou perto da mulher e disse vamu. Ela botou trouxa com roupas na carroceria da Estudibeiquer. Entrou na boleia. Sentou suavemente. Vestido subiu. Revelação de pernas como Coronel nem ninguém daquela parte dos Gerais tinha visto nunca jamais. Roupa dela foi subindo num sem querer. Até perto da calcinha. Que não existia.

Madalena fazia no de propósito. No como se natural fosse. Com rabo de olho, assuntava o reagir do Coronel. Olhar dele estava grudado nos fios negros e macios caindo ao natural. Samambaia. Chamadeira. Flor roxa de Ipê se mostrando. Mais no fundo, flor de mulungu. Caminhonete ia dum lado para outro da estrada. Corria que nem vaca louca pelo asfalto quente. Desgovernada. Fingimento que não olhava. Pinto quase tocando o volante. Querendo furar calça de brim amarelo. Jogou chapéu para trás. Pendurado no pescoço. Caído nas costas.

Ver melhor, podia. Suava frio e quente. Madalena subiu a saia. Descuidadamente. Curvou o corpo para tirar sandália apertada do pé. Coronel viu os peitos. Respirou forte. Vezes sem fim. Madalena deu sorriso matreiro, sem ele ver, quando estava amaciando os pés. Massagem. Provocante. Como se pé pinto fosse. Merecedor de melhor carinho do mundo. Doideira de mulher. Tentação. Ah! Segurou vontade de loba no cio. Coronel mexeu não. Com ela. Naquela hora. Resistiu tentação. Esperou para o depois. Teria tempo. Muito demais.

Na Fazenda Santo Antônio, Madalena estaria longe das tentações. Num ia mais ser mulher de não respeitar família. Voz de pai tropeiro martelava em sua cabeça. Madalena gostava mesmo muito da República de Marcolina. Um lugar onde podia dormir com todos os homens de Montes Claros. Sem pai chamando a atenção. Rico e pobre. Ela olhava pra eles com cobiça. Gostava de homem de nunca aguentar desejo tanto. Dos bonitos. Dos fortes. Dos ariscos. Caçava seus iguais. Estes tinham vontade muita guardada no dentro. Dormia com quem queria. Marcolina se importava não. Era contra poder de homem. Mandão. Escolhia os preferidos dela. Dia haveria que encontraria um pai para seu filho. Que fosse homem fogoso. Mais moço que ela. Para matar vontade tanta de. Para não ter precisão de continuar a busca incontrolável por. Um guerreiro dos Gerais. Ia de achar o futuro. Ter filhos. Prazer infinito.

Fogo, Cerrado!

Madalena, na agonia do Coronel relando nela, antes de ir falar com Dolores e João, pensava em Marcolina. Na República das Moças de Montes Claros. Livres, ativas, felizes. Herdeiras de Tiburtina. Assim chamadas. Vamos, Coronel, caba logo com isso, homem! Ele não tratava Madalena com delicadeza nessa hora antes de condenar Severino à morte. Não gostava de homem nervoso, agitado, apressado. Coronel tinha posse de muitas mulheres. Ia com qualquer. Só para matar vontade de homem. Sem carinheza. Sem no devagar no começo. No caloroso seguido. E na fúria de pantera-negra na hora de. Pena o dono dos Gerais ser assim. Podia até fazer ele largar a mulher. Ajuntar. Se João Cândido não quisesse ser dela todo. Ter o filho que esperava ter um dia. Mas não era sua preferência. Faltava qualidade. De macho. No vaqueiro faltava outra coisa: ser jovem. Era no mínimo trinta anos mais velho do que Madalena. Coronel babava, espumava. Amoleceu o corpo no de repente. Pronto estava para falar com João Cândido e Nêgo Dolores. Dar sentença de morte para o comunista do acampamento. Safado, filho de padre comunista. Pior mesmo, só lepra.

João Cândido desapiou do Ventania no curral. Tirou arreio, manchão, freio. Cavalo estava molhado. Suor cheiroso. Sentiu o vaqueiro. Pelo cabresto, levou o garanhão para o pasto. Relinchou longo. Chamando suas éguas. Deitou. Se esfregou no chão. Patas para o alto. Tirar suor fedido da cacunda no antes de encontrar as mulheres dele. Sol se escondia. Cândido queria ir logo pra tapera de Dolores. Antes, limparia a Filobé. Chegou no rancho junto com a patroa. Tirou e voltou a colocar o chapéu. Sinal de respeito muito. E foi pegar óleo Singer para passar com estopa na arma. Recebeu de Sinhazinha ordem de ir logo para o rancho do Dolores. Respondeu com um simsinhora. Continuou esfregando, vagaroso, a estopa na Filobé. Coronel ia de demorar lá com Madalena. Sabia.

Tratava a Filobé com carinho. Presente do Coronel. Fuzil. Fuzil transformado em cartucheira. Calibre 32. Cinco tiros, um em cima do outro. Pegou os cartuchos com chumbo grosso. Abriu um. Olhou com olhos frios de cobra os bagos de chumbo. Grandes. Para matar anta. Para matar gente. Abateram muito veado mateiro. E homens também. As seis marcas estavam ali. E eram só as últimas mortes a mando do senhor seu. Untou bem a arma com óleo da máquina de costura da patroa. Precisava ficar no ponto. Caprichava na hora de matar. Nunca errou um tiro mandado pelo Coronel. Zefina já conhecia aqueles preparativos todos.

Mulher do Coronel puxou conversa com Zefina sobre os tomates. Estavam murchos. Borocoxôs. Palavra única dita por Zefina. Sinhazinha fingia não ver o jagunço limpar a arma. Tinha conhecimento da morte no amanhã. Do mesmo jeito tinha conhecimento, desde muito, que Madalena era uma outra qualquer mulher de seu marido.

Se importava muito não. Aprendeu com a mãe um ensinamento bem claro: macho pode sair da linha. Fêmea, nunca. Homem podia ter duas, três mulheres, dez, desde que cuidasse bem de sua casa e de suas crias. Legítimas. Verdadeiras. Por que brigar com o Coronel? Não havia outras muitas por aquelas bandas. Ninguém, igual a ela. Em dias de padre Tomás.

Homem deve mais é de andar na prevaricação. Mulher, não. Nunca. Deus castigava feio. Menos com padre. Ela sentia ponta de saudade de seu cura de João Pinheiro. Namorar padre pecado era não. Ele, representante de Deus na Terra, tinha todo o direito de. Saudade dos bancos da igreja, do sacristão e dele. Padre com cheiro de laranja-lima. De Água Velva. De capim verde. Não conseguia parar nunca. Era sempre um queimar por dentro. E o padre tinha um jeito só dele de andar com a língua por cantos de prazer absoluto. Único problema: cansava logo. Precisava de sacristão para reanimar. Como nos tempos do dormitório do Colégio de Freiras. Eram sempre três. Uma fingia de homem. As outras, de mulher. Foi quando aprendeu. De tudo. Podia ser assim com Coronel. Dia destes teve vontade de ir para a cama com Madalena, levar o marido junto. Pra ver se ele enxergava vontade e sabedoria tanta dela na hora de. Não conseguiu juntar coragem para. Coronel, esquisito, ia não aceitar. Com ela era tudo no escuro, lençol cobrindo, ele em cima, ela embaixo. Nada mais. Mesmo. Sengracês.

Já era meio de ano e o Coronel só procurou por ela uma vez. Uma! Assim mesmo, na pressa. Como galo. Sinhazinha ficava com mais vontade. Sofria. Vontade de num ter fim pode até matar. Deixar doido. Deus bem que via. Onipresente. Precisava terminar o começado. Banhos demorados. Com clara de ovo para amaciar os dedos dela. Compridos. Bonitos. Gostosos no massagear. Unhas pintadas de rosa-claro. Gostava muito de usar xampu Johnson. O mesmo de seus meninos quando pequenos. Era jeito de matar precisão. Melhor que a pressa do seu homem. Mas comparação não havia com sonhos de Madalena ter nos braços dela. Mulher de verdade. Pena que nos sonhos. Ainda ia ganhar coragem para convidar. Pior que Madalena sabia que Sinhazinha queria ficar com ela na cama. E tentava que tentava a patroa. Antes pedisse. Iria aceitar. Gostava muito de gozo profundo. Ela também. Com padre Tomás. Ele, sim, era homem de verdade. De verdade nem tanto, porque também apreciava sacristão quando os três estavam juntos. Mas que importância tinha? Nenhuma. Matava a fome dela de ter um homem. Que seja!

Zefina notou que patroa atenção nenhuma prestava na história dos tomates da horta. Sinhazinha tinha os olhos pra cima. Perdidos. Sorriso puro e gostoso nos lábios. Fazendo viagem longe. Esfregava num sem perceber uma coxa na outra. Tempo passou. Respiração da patroa ia num aumentando. Parou de fungar com aviso da chegada do Coronel. Sem variar. Sem balançar os braços em desencontro. Sem conversar sozinho. Chapéu verde-escuro. Inglês. Colocado na cabeça meio de lado. Matera de bico fino rangendo. João viu o Coronel de longe. Largou a cartucheira, disse um inté pra patroa e caminhou no lento até a fogueira armada na entrada do rancho de Dolores.

Nêgo ria de Tonho. O menino tinha a cabeça perdida em Mariquinha. Como Sinhazinha em Tomás. Maluquices que Nêgo contava iam ao deus-dará. Coisas sem pé nem cabeça. Quiçá! Tonho voltou ao normal quando viu o pai vindo no devagar dele. Curvado, mas alto. Tinha lá seus dois metros bem medidos. Filho queria ser mistura do pai com Coronel. Difícil. Quem sabe mistura de mãe com Coronel? Ela não foi de buniteza igual à de Madalena? E Coronel não era um Ventania? Com suas éguas. Em seu território? Diferença é que mulheres do Coronel tinham outros homens muitos. Só não queria, de jeito nenhum, que Coronel se engraçasse com Mariquinha. Na certeza o mataria ou quem fosse que tivesse o desplante de encantoar a mulher escolhida dele. Seja Mariquinha, seja Madalena. Tonho tinha nojo e raiva. Fato de Madalena dormir com Coronel. De cobiçar pai dele, João Cândido. Imensa era a vontade de ter Madalena só dele. Casar na igreja. Sonho grande demais da conta para aprendiz de capataz. Mariquinha não era sonho. Era real. Dentro de suas possibilidades. Mas que tinha vontade de matar também homens que dormiam com Madalena, isso tinha. Até pai. Até Coronel mesmo.

O segredo mais bem guardado de Tonho era o da morte do padrasto de Mariquinha. O que abusou dela menina. Tomou emprestada a Filobé do pai. Escondido. Montou em Ventania. Galopou duas horas. De noite. Lua cheia. Espingarda carregada com chumbo grosso. Apiou do garanhão de um pulo só em frente ao rancho do criminoso. Viu chiqueiro atrás da casa do homem roceiro. Agarrou leitão meio dormido pelos pés. Animal, chorão que nem criança dengosa, começou a guinchar. Padrasto saiu na correria. Tonho colocou o pé para ele trupicar. Deu rasteira. Homem caiu de boca no chão. Sem entender o acontecendo. Tentou levantar. A espingarda já estava enfiada em sua boca. Fez pressão. Olho esbugalhou. Reconheceu o menino filho de João Cândido. Novo demais para matar. Eu? Cinco tiros seguidos espalharam os miolos do único homem que dormiu na força com sua escolhida. Mariquinha!

Escafedeu-se pelo Cerradão de volta para casa. Tomou banho no Santo Antônio. Voltou para a tapera. Ninguém deu falta dele. Nem mesmo Zinho. Menino entrou em casa que nem onça. Ruído nenhum. Tristeza nenhuma. Preocupação nenhuma com a morte do padrasto da sua mulher futura. Matou foi ódio infinito guardado no coração. Dormiu feliz aquela noite. Sonhou com Mariquinha. Com Madalena. As duas nuas. Numa cama

FOGO, CERRADO!

grande. De mola. Com ele entre elas. Acordou com a calça breiada. Ali, na beira da fogueira, não conseguia entender por que não era chamado para ajudar na morte de Severino. Coronel gostava dele. Mais do que dos filhos próprios. Chamasse, então!

O Senhor dos Gerais, satisfeito, pronto estava para guerra com o povo do acampamento. Dolores riu alto. Cândido queria dar jeito de acabar logo com tudo aquilo. Acabar com a história de acampamento. Dos comunistas que vieram construir a Rio-Brasília. De Severino que colocou ideia neles de ficar até um num sem-fim. Matar logo o homem. Coronel chamou o troncudinho de líder. De camponês. Linguagem longe da que aprendeu a saber. Botar fogo nas casas no depois de ver rosto roxo do desafeto antes de bater as botas. Agoniado. Caçando ar para respirar. E ar rareando. Até acabar de vez.

Coronel chegou à fogueira assobiando, com afinação. Mulher dele ouviu. *Marselhesa*? Ou *O Guarani*? Homem de cultura. Culto, mas com suas propriedades pra zelar. Liberdade, igualdade, família e fraternidade. Mistura dele, pensou a mulher. Só maçom com medo dos comunistas poderia juntar essas filosofias. Lema de vida. Guia de caminhar pelo mundo. Ódio muito para padres operários assim chamados que vinham com seu deus, paz, pão, trabalho e felicidade aqui na Terra que o céu está muito longe. Comunistas, todos comunistas. E só padreco novo. Se não fossem comunistas seriam como aquele padre viado de

João Pinheiro. Suspeita teve até de que ele tivesse se chegando pra sua mulher. Mas tranquilizou-se quando confirmou história contada pelos povos de que dormia com sacristão. Barriga de padre, cemitério de galinha! Mulher é que adorava os velhacos de saia preta. Urubus agourentos. Sinhazinha paparicando o padreco de João Pinheiro. Também um certo monsenhor. Amigo feito na capital e que andou pelo Norte. Tinha morrido quando caçava um padre e um aprendiz de Lampião duma tal de Liga Camponesa. Não entendia a mulher: não foram os bispos e arcebispos que pariram os padrecos comunistas?

Nêgo Dolores estava agora no sério. Parou de contar casos para o menino Tonho. Chegada de Cândido e do Coronel mudava o siso dele. Tonho chegou pra mais de junto da fogueira. Sabia que a frente fria estava batendo na porteira dos Gerais. Segredo que também queria contar praqueles homens. Queria que eles tivessem ciência de que o rádio disse que a frente ia chegar domingo--amanhã pra muita destruição levar aos Gerais. Faltava coragem para tanto. Oito da noite no Cerrado. Noite alta. Fogo num devia de'star nem muito nem pouco forte pra agradar o Coronel. João parou bem na frente do rancho. Num falou nada. Acocorou-se perto da fogueira. Na entrada. Agachou. Bunda aconchegada na botina matera. Mãos perebentas de frente para o calor.

Coronel mandou a mulher pra casa, sem precisão de ir ao curral. Cândido tinha engabelado ela para dar tempo de acalmar as vontades todas nas coxas de Madalena. Pensou em Nhá Preta. Na gostosura da comida da velha. Pena não estar ali. Agora. Só ele nos Gerais conhecia de verdade as duas caras de Nêgo Dolores. Sabia sem saber. Sem dizer palavra, sobre. Queria comer de tudo na janta de comemoração pela expulsão do povo do acampamento. Pediu galinha com angu e quiabo, maxixe, gabiroba, cará, inhame, pequi com arroz de açafrão, angu, quiabo e mandioca frita muita, misturada com torresmo e feijão-roxinho. Domingo, dia de vitória. Dia de alívio. E de festa que ele ia de fazer com Major que já estava a caminho, bem perto. Seguro. Cândido e Dolores matavam o comunistinha do Severino e os homens de amarelo, comandados pelo major, fariam o resto do serviço. Muito no rápido. De uma só manhã.

O dono da Santo Antônio apurou a conversa. O assoviar mostrava que estava até alegre. Sua bênção, padim. O menino Tonho olhava com olhos respeitosos para o Coronel. Era afilhado do homem. Bençoe. Murmúrio quase imperceptível. Rotineiro. Tonho ficou com admiração maior ainda por aqueles que dispunham da vida e da morte. Se sentia entre eles. Coronel feliz e despreocupado ficou sério num de repente. O rosto branquicelo encheu-se de rugas. João Cândido só fazia olhar. Como cachorro esperando dono istumá: ssca, sssca, pega! Nêgo Dolores rabiscava a terra com um graveto, aproveitando a luz da fogueira. Burriscos. Um que fazer nada à espera das ordens de ação do Coronel.

Oito e pouco da noite. Hora aprazada. O povo da roça dormia primeiro sono. Povo cansado da capina. Começavam a trabalhar às cinco da madrugada. Matulas com almoço abriam às oito. Nove que muito. Depois gole d'água da cabaça e café frio. Dirigir arado puxado por boi ou burro. E capina o dia todo. Hora de sono do mais profundo. Os três homens foram chegando ainda mais pra perto da fogueira. Silenciosamente. De ruído só o pipocar de graveto atiçando lenha nova. De grilo. Uma que outra coruja. Uivo de lobo na distância. Correnteza do Santo Antônio. E o piscar de vaga-lume muito atraído por faísca feita pela fogueira.

Coronel esfregava que esfregava as mãos. Em vão. Continuavam frias. Geladas. João Cândido virou a bunda para o fogo. Cruzou as mãos pra trás. Desvirou. Ficaram quietas, abertas, de frente pra fogueira, segurando a quentura. Calor demorava em cruzar calos de pata de cavalo da mãozorra do vaqueiro. Dolores só gostava de esquentar ele todo. De longe. Tinha medo de tomar friagem. Nhá Preta avisou: num sai com sereninho de noite nem toma corrente de ar. Dá tuberculose, tosse comprida, coqueluche, pneumonia. Dolores esquentava corpo um pouco de longe. Distância justa pra escutar a ordem de morte.

Sorriso sumido da cara deles todos. Ninguém queria falar. Os três não tinham o que falar. Já estava tudo acertado de antes. Um homem deveria morrer. Um homem do povo do acampamento. Pra assustar. Só a morte poderia botar os invasores pra fora. O povo da roça, não. Tinha medo do Coronel. E muito maior de assombração. Era só conversar na voz de mistério sobre a mula-sem-cabeça para pelos do corpo dos roceiros se arrupiarem todos. Nêgo Dolores sabia inventar tudo sobre assombração. Mas suas histórias de almas penadas não tinham nada de serventia com retirantes do Norte. Assombração praquele povo, só seca brava sem-fim nunca. Era essa a maneira de falar deles. Povo da roça, não. Tremia por dentro ao ouvir o contar do Nêgo sobre as caveiras que andavam no à toa pelos Gerais. Pegando fogo. Nas mortes encomendadas pelo Coronel. Nêgo Dolores fazia misturança de alma penada com morte a mando do Coronel. No de propósito.

Povo do acampamento ria no mais de rir do contar do Nêgo sobre as tochas que andavam soltas nas noites escuras e sem Lua do Cerrado. Não acreditavam. Mas riam riso nervoso quando ele garantia que medida de terra de Coronel era diferente de medida de terra verdadeira de agrimensor. O dono dos Gerais tinha suas contas lá dele. E que ninguém duvidasse. Pagava preço alto demais pela dúvida. E povo do acampamento duvidara. Ia de pagar mais caro do que imaginava pagar. Mais bem muito mais mesmo.

XIII

Dolores ajudou a marcar as divisas da Fazenda Santo Antônio. Como se a Fazenda Santo Antônio dele mesmo fosse. O agrimensor falava: a divisa é aqui, tá nas escrituras, águas vertentes. O Nêgo dizia isso mesmo. Propriedade do Coronel ficava no coração do Cerrado Brasil. Do lado das terras dele, águas pendiam para o São Francisco. Do lado que não era dele, águas iam todas para o Paraná-Paranaíba. Netim, pequeno Coronel, tinha fazenda de vinte e dois alqueires. Metade formava cunha nas terras do Coronel. Inventou de fazer cerca na divisa. Dolores arrancou. Despropósito. Fuzuê criado por Netim, mais mulher e seis filhas foi dos grandes. Nêgo deu importância nenhuma a papel de posse, amarelado, balançando nas mãos da filha maior. Netim discordou com brabeza muita. Assim num tá de direito. Vivo nesse cantim de mundo há quarenta anos. Tenho posse. Meu pai aqui morava bem muito antes do senhor chegar. Nasceu aqui. Essa terra foi, no sempre, nossa. Nêgo respondia igual Coronel: era sua! Netim disse truco. Num era. Nunca será. Só se passar por cima de meu corpo. Confiava na Justiça verdadeira que a Rio-Brasília ia trazer. Tardou em chegar.

Dolores nem discutiu. Montou no cavalo. Esporeou animal. Voou no galope pra sede nova da Fazenda Santo Antônio. Disse, na passagem pelo Coronel, que os trens tinham empetecado com Netim. Coronel deu grito para Nêgo parar. De nada adiantou. O Senhor dos Gerais conhecia dias de fúria do jagunço. Dias de desobediência. O patrão respondeu cê não sabe onde está com a cabeça. Deixa ela esfriar. Nêgo montou no trator Caterpillar. Voltou arrancando cerca, pé torto de árvore do Cerrado junto e, num descuido, passou por cima de Netim. Dolores assim era. Virava animal raivoso vez que outra. Ninguém dava jeito. Nem amigo Cândido. Coronel, menos ainda. Perdia as estribeiras de vez. Perdia a razão. Gritou possesso: era terra sua, seu fié-da-puta. Tirou a garrucha de dois tiros. Apertou o gatilho, e bala entrou naquela massa. Pastel parecido com o que Nhá Preta fazia.

Netim não tinha mais seus vinte e dois alqueires. Herança para as filhas ia de ser doze alqueires. Nem precisariam de pedaço de terra para cova. Com o trator, Dolores tampou o corpo. Areia amarelada tingida de

FOGO, CERRADO!

vermelho sangue. Urubu não ia querer comer aquele pastel ensanguentado. Agrimensor ficou zanzando sem ter o que dizer. Ou fazer. Medo muito. Homem de cidade não entendia no bem direito a lei do Cerrado. Nêgo Dolores bateu estaca. Marco da divisa.

Família de Netim chorava seu morto. Não ia de ter enterro de gente. Era igual cachorro quando cruzava a estrada pra Brasília. O asfalto estava cheio deles, apodrecendo. Comida de urubus. Cachorros bobos. Cachorros do Cerrado. Dos Gerais. Não tinham ciência que aquela mancha preta e quente matava. Asfalto, intrometido. Dividia num despropósito território marcado em mil de mil anos pelos bichos. Pior do que cerca de arame farpado. Cemitério de cobra, tatu, raposa, jaguatirica, preá e até de gavião descuidado. Caminhão matou, em uma semana de estrada pronta, bichos tantos que Pedrão não conseguiu caçar durante toda a vida dele. Passavam num devagar. E lá vinha a jamanta. Ficavam ali estrebuchados. Cachorro inteligente era só um tal de Corisco. Do povo do acampamento. Cão comunista, no dizer do Coronel, não cruzava o asfalto sem assuntar antes o barulho dos fenemês, das mercedinhas e das jamantas.

Netim, coronel de vinte e dois alqueires, cruzou estradinha de terra. Nem asfalto tinha. Morreu mesmo assim. Deixou para as sete mulheres casa simples, pintada bonita com cores mesmas do bule da comadre Zefina. De branco, com tira azul no envolta das janelas. Feita

165

com tijolo comprado na olaria do Coronel. Portões de um verde folha de goiabeira. Cozinha espaçosa nos fundos, para prosear longo com as filhas. Com outros posseiros, povo da roça, compadres e a mulher de toda a vida. Mesa de três metros. Doze cadeiras. Espaçosa. Em cima, sempre, biscoito de polvilho, bolo de fubá. Broa de milho, queijo de tipos muitos. Café sempre feito na hora. Do jeito que João Cândido gostava: descia queimando a goela. Nenhuma das meninas dele casou. Povo maldoso dizia que é porque tinham barba. Era não. Apenas penugem. Barba rala podia até parecer. Como a que estava nascendo em Tonho e Zinho. Cada uma tinha tarefa. Netim, sem filhos homens, ensinou. Capinavam no jeito de roceiro capinar. Tiravam leite. Montavam a cavalo. Faziam de tudo até bem melhor do que muito vaqueiro. Pomar ajeitado. Hortinha. Umas trinta cabeças de gado leiteiro. Campeavam. Mulheres trabalhadeiras. Deu até para pai guardar uns cobres bons no Banco da Lavoura. De Sete Lagoas, origem da família dele.

Elas viram o pai morrer esmagado pelo trator Caterpillar dirigido por homem doido. Choraram um chorar sentido profundo. De raiva. Morte de pai era pior que fincar uma faca no coração de cada uma de nós. Dito era da mais gordinha com cabelo amarrado como rabo de cavalo. Decidiram: vamos emprenhar nossas barrigas todas para parir homem que ia de vingar a morte de Netim. Completou a mais nova: se ninguém quisesse casar, jeito era juntar, procurar peão esfomeado por mulher na beira da rodovia e o que fosse. Fizeram ali mesmo a combinação de cada uma parir um filho macho pra vingar o pai crédulo que sonhou ser Coronel de vinte e dois alqueires. Filho sem pai conhecido mata melhor.

Com enxadas e uma pá, as sete mulheres tiraram a pasta sangrenta de de baixo do pequeno morro feito pelo trator. Quatorze mãos juntaram tudo. Massa de fazer bolo de milho. Mistura pastosa amarelada de pai valente. Mas sonso. Acreditava na bondade dos homens. Na Justiça dos homens de preto a caminho de Brasília. Mãos carinhosas. Adulavam o que restou dele. Fizeram uma trouxa num lençol de linho branco. Cada uma agarrou numa ponta. Mãe foi na frente. Procissão até o Córrego Preto, que cortava os doze alqueires que sobraram. Águas dele corriam para o Paranaíba. Jogaram o que restou do pai dentro do córrego. Não iam dar comida para festa de peixe do Santo Antônio. Piranha. Peixes do Coronel. Doze alqueires menos. Pai morto. Nêgo Dolores acompanhava a procissão com rabo de olho. As mulheres, com véu negro cobrindo a cabeça, nem olhavam pra ele. Ódio muito delas era contra o Coronel. Nem assuntavam que Dolores agiu por conta própria.

Nêgo ficou ali parado. Raiva esfriando. No depois de tamanha crueldade. Pai delas abusou. E homem abusado, se vivesse, ia virar semente. Parir outros abusados. Netim era uma parte aprendiz de Coronel e, outra parte, povo da roça. Pensava ser um pequeno Coronel. Por isso desrespeitou. Povo da roça num nasceu pra ter rusga com Coronel de verdade. A malcriadeza de Netim podia de pegar. Varíola. Doença raiva. Peste que espalha muito do depressa. Já num bastava a rebelião do povo do acampamento? Tinha na moleira uma só certeza: os comunistas pagariam mais, muito mais mesmo, do que Netim pagou pelo direito de afrontar Nêgo Dolores. Protetor das leis dos Gerais. Futuro, quem sabe?!

Dolores matou Netim na doidice de onça-pintada na hora do ataque. Sabia que não precisava matar outras gentes do povo da roça. Exemplo do posseiro ia de correr de pé-de-ouvido pra pé-de-ouvido. Povo da roça não discutia limite de terra. Gostava só de ganhar alguns cobres do Coronel na hora de meiar colheita. Todo dia, Nêgo Dolores azucrinava os meeiros. Fingia que não via que ganhavam dois quilos de feijão, milho e arroz na hora da partilha. Coisa pouca. Comprava no bem barato. Vendia no mais caro. Com um toco de lápis fazia as contas da meia. Não aceitava questionamento. Tá errado? Então pode ir-se retirando. Num carece nem de pegar seus trens. Pode ir embora daqui mesmo. Faço eu a colheita. A terra nem mesmo é de vocês. Tão aqui é de favor. Meeiro tem de sobra lá no entroncamento. Como mosquito em chiqueiro. Gente demais caçando um lugar de plantio. Quem paga financiamento de banco na quebra? Correção da terra com fosfato? Cavalo e boi para

Fogo, Cerrado!

arado? Arado mesmo? Trator? De quem eram as roças de terra boa? As de cultura. Na hora do vender colheita Coronel ficava roxo de raiva. Passava, antes de entregar carga, por armazém de venda a granel para tomar preço. Pagavam pra ele só metade do que armazém cobrava do povo. Atacado valia a pena não. Dia destes ia vender em São Paulo. Preço melhor.

Nêgo Dolores trabalhava com gosto. Fazia no quase tudo rindo com os dentes brancos. Sem cárie. Dentes fortes de segurar laço com touro bravo na outra ponta. Nhá Preta cuidava dele, sempre. Deu escova. Mandava com Coronel, todo mês, pasta verde Kolynos. Dolor esfregava dentifrício cheiroso com o dedo mesmo. Usava a brancura dos dentes pra assustar os meeiros nos dias de muita escuridão. Quando roceiro passava de noitão, levando na mula saco de feijão escondido, dava de cara com aquela branquidão rindo no sem parar no meio das moitas. Caçoando. Gargalhada esquisita era de empacar animal. De frio e de medo. E ainda mais a zoeira de corrente. Deus do céu. Assombração.

Agora, Nêgo Dolores ia mexer com povo diferente. Povo do acampamento. Estranho. Lereiento nos domingos. Potoqueiro nos casos. Mais que Coronel. Trabalhador no calor queimante do asfalto. No concreto da ponte que construíram no Santo Antônio. Sem ter pra onde ir. Sem mais estrada. Sem mais empreiteira chamada de Companhia. Ouviu de ouvir dizer que eram retirantes da seca. Gente que corria das brabezas do Sol. Na terra de nascença do povo do acampamento não chovia. Não tinha invernada. Nem aquele chover de nunca mais ter fim, como nos Gerais. Veredas?, povo do acampamento desconhecia. Vereda no linguajar lá deles era açude. Ano vem e ano vai. Chuva não chegava.

Havia uns cantadô. Diferentes. Num tocavam moda de viola. Eram umas coisas estranhas deles lá. Baião. Xaxado. Com sanfona e triângulo. Dolores viu o povo do acampamento fazer um forró. Forró de gente espaçosa. Esquisita nos trejeitos das mulheres e no requebro dos homens. Os Gerais eram mais comportados. Sisudos. Aquele povo num tava no seu ambiente do de natural. Cantigas de outro mundo. Distante. Desafios de um cego. Capitão Virgulino. Capitão vale mais do que Coronel? O Coronel do povo do acampamento era um capitão? Será? Virgulino seria o nome do comunista Severino? Com seus olhos de também dono dos Gerais, Dolores achou aquele povo alegre aos domingos, triste nos dias outros. E falador da vida alheia. De longe, no dia do forró, ele ouviu dois cantadô no desafio. Falavam mal demais do Coronel, do padre Tomás, dos capangas. E despejavam elogios pra Brasília, JK, Arraes e Julião. Elogios rasgados.

Num devia de tá certo. Aquele povo era invasor. Invasor dos Gerais. Invasor das terras dos coronéis. Tinham todos que morrer. Matava um. Se resistência aparecesse, matava

FOGO, CERRADO!

dois, dez, mil; depois, as mulheres; por último, as crianças; e derradeiro mesmo, os cachorros deles, da mesma laia, começando por aquele chamado Corisco. Animal ladino que não atravessava o asfalto da Rio-Brasília sem assuntar o ronco dos caminhões que varavam os Gerais. Acabaria com a raça do povo do acampamento. E dos cachorros também lá deles. Corisco, fié-da-puta. Fúria de Dolores ia e vinha. Gente que não sabia respeitar ordens. Não tinham mandado eles irem andando? Por que ainda estavam ali? Um mês de desobediência, uma morte. Depois, uma morte por dia. Dia seguinte, o fogo ia comer cerrado no rabo daqueles comunistas.

Dolores parou de burriscar o chão. Estancou pensamento sobre Netim, a viúva, as seis filhas e os roceiros. A terra vermelha e arenosa dos Gerais em frente dele estava marcada por rabiscos fortes, sinal de raiva muita. Raiva contra os que não respeitavam a lei dos Gerais. Coronel, testa enrugada, deixou o tempo ir passando na reunião da morte. João Cândido, mudo. Mudo porque na presença respeitosa do Coronel. Matar no descontrole era uma coisa. Outra, matar no planejado. Severino merecia plano ardiloso. Não era nenhum jacu. Pássaro grande, de carne média de boa. E bobo. Fácil demais de matar. Severino era mais para raposinha. Esperta. Invadia galinheiro. Matava galo índio. Caçar e matar animal liso como raposa carecia de. Mais depressa, melhor.

XIV

Cândido, homem sem medo. Povos todos diziam no mais dizer que medo mesmo só do Coronel. Medo é diferente de respeito respeitoso. Só teve, sim, susto. Uma vez. Foi quando cascavel fincou, na perna dele, aqueles dentes finos, agulha de injeção, depois de bote certeiro. Raiva tanta. Dor tanta. Apanhou a bicha com a mão e esmagou a cabeça dela. O resto do corpo continuava na tremedeira. Deu puxão forte. Partiu em dois pedaços. Levou pra casa. Metade ia pra gavião carrapateiro que vivia perto da casa de Sá Joana comer. Outra metade, Zefina ia de fazer uma boa sopa. Cuidando com os espinhos. Carne de cobra, como a de traíra, cheia de espinhos, é de grudar na goela. Morte com engasgo.

Cândido suava de dor. Suor frio. Gelado. A morte devia de ser suada assim. Num falava nada. Nem gemia.

Jagunço que é jagunço não pia. Conseguiu montar no Ventania. Direcionou o animal pras bandas da casa de Sá Joana. Rédeas soltas. Curandeira percebeu logo que ele estava ofendido de cobra. Vista escureceu. Viu mais nada quando caiu debaixo do mangueiral do quintal da doutora dos Gerais. A mulher chegou rápido. Passo apressado de ganso correndo para entrar na água. Vaqueiro estrebuchado. A velha começou o tratamento com ele caído mesmo. Enfiou na boca babujada de João Cândido, abrindo no muque seus dentes trincados, um gole de chá feito de capim. Folha seca junto com raiz, muídas. Só ela sabia os nomes das plantas. E de onde vinham. Cada raspa de árvore, por mais torta, troncha e magricela que fosse, tinha poder curandeiro. Raiz, folha e flor, também. Garantia dava Sá Joana.

A velha sabia de cor os segredos de cura dos Gerais. Segredos só dela no mais guardado. De serventia geral para todos os povos. Povo da roça tinha medo dos poderes dela. Mulher cheia de mistérios, diziam. Medo e respeito porque naquele mundaréu a velha valia bem mais que doutor de cidade. Botou muito menino no mundo. Ressuscitou morto com os poderes adquiridos dos Gerais. Até Coronel, que era de respeitar uns poucos, fazia reverências a Sá Joana. Povo do acampamento, também. João Cândido, dado por morto, levantou no dia seguinte. Não falou um ai. Por isso, Coronel gostava daquele chefe de capangas. Num deveria ter outro igual

FOGO, CERRADO!

nos Gerais. Nem mesmo pras bandas de Barretos. Pau pra toda obra. Macho. Macho pra matar aquele fié--da-puta do Severino. E, se precisão houvesse, Coronel usaria poderes de Sá Joana.

Sá Joana médica. Sá Joana santa milagreira. Sá Joana parteira. Sá Joana da Farmácia. Sá Joana benzedeira. Sá Joana índia veia. Cândido ficou agradecido. Não saberia dizer a idade dela. Nasceu com o Cerrado. Já estava ali desde o sempre. O Sertão sem ela num ia de existir. Cara coberta de rugas. Corpo duro de mulher de 30. Caminhava no mais de rápido e era manca. Uma perna mais curta que a outra. Estranho andar. Perna menor dava um salto empurrada por perna maior. Morava passando a sede velha. Nos altos do morro mais alto da Fazenda Santo Antônio. Vista para o mundo Sertão. Na frente da casa dela, um paredão enorme de grande. Pra mais de 300 metros. Começava no de repente. Como armadilha. Afundava até encontrar o Córrego Ajudante. Dia que outro, vaca despencava lá do alto. Rasgava árvores da beira do córrego. Batia pesado no chão. Corpo meio estraçalhado. Sangueira espalhada. Barulho chegava longe. Ia sendo repetido. Vaqueiro gostava de gritar do alto do morro da Sá Joana. Eih, boi! Voz imitava o grito dele mesmo num sem parar até desaparecer Sertão adentro.

Casa da doutora dos Gerais foi sede de fazenda das mais antigas. Paredes de barro vermelho. Tijolão aparecia. Coberto com reboco de areia misturada com bosta de boi. Pedaços de tinta branca no aqui e ali. Azul caiado em volta das janelas. Quintal tinha frutas todas. Mais mangueiral. E bananal. Tropa de Sá Joana morava com ela. Filhos, netos, bisnetos e tataranetos: 32, ao todo. Parentes todos cuidavam do quintal e trabalhavam na roça em meia com Coronel. Quando trator Caterpillar arou nas vizinhanças da casa, apareceu ponta de flecha muita. Panelão de barro com caveira dentro. Sá Joana não falava língua do Cerrado. Usava idioma de impossível entender. Final de noite ia no andar dela apurado de sempre para a ponta do morro. Na frente mesmo do paredão. Precipício. Pavoroso. Parava no quase cair. Povo escutava cantoria triste em língua estranha. Se repetindo num para sempre. Raimundo, o Mundim, filho mais velho, pra lá de 80 anos, conhecia aquele fraseado. Contava que mãe estava conversando com gente velha já morrida.

Povo antigo de Sá Joana, bravo no demais. Inventava motivo pra guerrear. Entre eles. Guerra feia mesmo foi na chegada do povo branco. Na busca de ouro. De diamante. De terras para gado. Avô de Sá Joana contou que pai do pai dele era Chefe Maior. Guerreiro pintado com tinta de urucum. Vermelho forte. Boca furada. Gente do avô do avô tinha nascido ali nos Gerais há anos de nunca acabar de contar. Povo no mais de sabido. Mundim contava que Sá Joana falava do tempo de mil em mil anos. Como Matusalém. O da Bíblia. Certeza tinha que ia viver mil anos. Filha de povo que não morre. Explicava.

Fogo, Cerrado!

O segredo de vida tanta era ser como a terra, a água, as plantas e os bichos todos. E conhecer o jeito do Cerrado dar comida. Quando chove, na invernada, tempo de catar frutas, tanajura, danada de boa bem frita. Gosto amantegado. Tirar mel. Caçar veado. Perdiz e codorna. E cobra. Em tempo de estiagem vez era de pescar, catar ovo de tartaruga, jacaré e ema. O povo do Cerrado, mãe contou, era diferente do povo do mar. No antigamente. Um, manso. Boi carreiro. João Bobo. Jacu. Outro, o dela, briguento. Nervoso. Jaguatirica. Onça-preta. Parda. Lutou luta de num acabar nunca com fazendeiros brancos.

Tonho tinha medo de Sá Joana. A velha foi quem botou ele no mundo. Comadre parteira. Era encontrar a velha e os pelos do braço dele arrupiarem todos. Mês sim e mês não, montava no Ventania e rumava para a casa de Sá Joana. Tinha precisão de conhecer o medo. Só não morre temporão quem conhece muito bem o perigo de viver. Pensamento de menino jagunço. Andar bem de junto da beira do paredão era outro jeito de chamar o medo. Olhava para aquelas funduras e vista escurecia. Tonteava. Houve vez que ele encontrou Sá Joana. Mulher sem medo. Algum. Do outro lado do precipício. Em pé, do jeito manco dela, em cima de ponta de pedra na beirada do paredão. Não era muito fácil ver a mulher naquele perigo de cair. Falando na língua dela só. O cantar repetido até o fim dos Gerais. Eco, Coronel explicou.

Sá Joana estava de olho fechado. Parecia, de longe. Num derepentemente gritou na língua de gente que sabia falar: povos gentios, bárbaros, primitivos, vagabundos, intratáveis, antropófagos. A velha respirava no apressado entre uma palavra e outra. Todas desconhecidas dele, Tonho. Povo cruel, feroz, animal, desumano. As palavras ecoavam num sem-fim. Voz era como saída de dentro de caverna-gruta. Povo tragador de gente humana, dos próprios filhos, armador de cilada, sem Deus, sem pátria, sem lei, sem rei, sem República, sem razão. Quando Sá Joana terminava os gritos, uma mescla de raiva e lamúria, de todas as palavras, começava tudo de novo. Da primeira em diante. Parecia papagaio ensinado a falar. Repetia que repetia o aprendido.

Tonho, montado no cavalo em pelo, só com cabresto, bateu forte com o calcanhar na virilha do animal. Iniciou disparada. Rumo à casa da velha senhora dos Gerais. Parou com cavalo bufando no portão. Tonho apeou. Como o índio Tonto. Caçou Mundim. Contou que mãe dele estava endoidecendo. Filho velho riu. Palavreado de Sá Joana era o mesmo que os brancos usavam para falar do povo dela. Jeito de xingar dos que primeiro chegaram ao Sertão. Mãe ensinou os nomes para Mundim que repetiu um a um para Tonho. De novo. Menino perguntou quê que as palavras diziam. Coisa ruim. Não gostavam do povo antigo do Cerrado. Nós!

Coronel pediu a Mundim para ter ajuda de Sá Joana na guerra contra o povo do acampamento. A velha disse

Fogo, Cerrado!

que ajudar podia. Ia pôr fogo no Cerrado em volta deles. Para queimar as casas. Promessa feita. Coronel disse que não queria atiçar fogo. Queria as casas para o povo dele. Filhos seus, Sá Joana, são filhos meus. A velha se entendeu com Mundim. Disse que gostava do fogo nos Gerais. Plantas nasciam mais fortes. Curavam melhor. Povo dela fazia isso. Fogo prazeroso. Ajudado por raio. Desde uma dúzia de mil anos atrás. Ou mais. Pediu para Mundim explicar para o Coronel. Ela queria também expulsar povo da carvoaria. Cortava suas árvores de remédio. Sem nenhuma tristeza. Coronel deixava derrubar as plantas remédio. Chefe Maior estava errado. Esbravejava. Ameaçava pegar um pedaço de pau maciço e pesado, guardado atrás da porta de entrada da casa, e bater na cabeça do Coronel. Para ele entender a vida que planta dava para todos os bichos. Até homem mesmo.

A velha ensinou para Mundim seus segredos muitos. Que começou a aprender nem bem tinha completado três anos, quando saía pelo Cerrado com a mãe, Durvalina, catando as coisas de fazer remédio. Sá Joana andava e falava na língua dela num sem parar. Os bichos homens são como a terra e as plantas. Tudo é um só. Bicho animal também tomava remédio. Lobo-guará morria se não encontrasse fruta própria. A que matava os bichos da barriga dele. Lombrigueiro. Folha, raiz, casca. Tudo sara. Ou mata. Serventia demais tinha galuína, erva-de-sangue, orelha-de-burro e tudo mais.

Vaqueiro João Cândido sarou da ofensa de cobra com canguçu-branco. Sá Joana deu. Canguçu-preto nasce ao lado do branco. É veneno dos mais perigosos. Assa-peixe, outro remédio traiçoeiro. O de folha grande matava. Bom para acabar de vez com povo do acampamento e povo carvoeiro. Angico era igual. Só o cascudo servia para curar ferida. Apressava machucão fechar. Barbatimão para doença no sangue. Caapeba tinha que guardar resguardo. Dois dias seguidos. Romã para gripe. Cidreira para os nervos. Quinino para febre de maleita. Os remédios de Sá Joana eram num sem-fim. Filho só não entendia o gostar da mãe por morcego. Eles viviam nas grutas do paredão. Começavam a sair aos montões no final de tarde, no começar do escurecer. Comiam de tudo. Flor. Fruto. Semente. Sangue. Vaga-lume. Todo bicho que voava de noite. Grilo também. Comida de Sá Joana. Ou remédio? Morcegona carregava filho nas costas. Dava de mamar. Bicho mulher homem. Sá Joana gostava do rato que voa porque ele semeava o Cerrado. Chupava mel de flor. Pé de planta pouco ia nascer se não fosse por causa de morcego. Bicho casamenteiro de planta. Como abelha. Como borboleta. Como marimbondo. Comedor de praga que acaba com as plantações.

Sá Joana tinha preferência também por escorpião, comida de teiú, e cobra. Sabia tirar o veneno deles. Explicava para Mundim na língua lá dela. Veneno é o melhor remédio. É só dar bem pouquinho. Ela sabia as

Fogo, Cerrado!

quantias. Outros bichos com veneno também eram de serventia. Até formiga. Picada de abelha na cacunda duas vezes por semana acabava com qualquer dor no espinhaço. Veneno de cobra era bom para cavalo com sangue grosso. Ou para gente mesmo. A velha doutora queria matar Severino com canguçu preto. Ou colocando no quarto dele jararaca e cascavel dentro da rede. Tinha já preparado. Com caranguejeira. Filhos dela viviam nas costas. Coronel deu ordem para Mundim pedir para ela esperar um pouco. Sá Joana cismou.

XV

Coronel virou de costas para o fogo e foi dizendo para seus dois homens de confiança: quem deve de morrer lá do povo do acampamento é aquele safado, sem vergonha, descarado, ladrão de cavalo, de gado, o Severino. Aquele troncudinho. Comunista. Como se Cândido e Dolores já não soubessem. Só o olhar de ódio do Coronel, quando cruzava com Severino, já indicava a sentença da morte. Coronel falava só para confirmar. Cândido lembrou que nos jogos de futebol Severino era goleiro. Dos mais estranhos. Ficava pequeno pequeno entre as traves de bambu que formavam a imensidão do gol. Amanhã, no domingo, ia de estar no campo gramado. Feito pela Companhia. Nas terras do Coronel.

Severino destratou o Coronel. Da primeira vez que tentou acordo de paz. O Senhor dos Gerais não mereceu o mínimo de respeito. O comunista disse numa voz malcriada que seu povo num saía dali porque não tinha pra onde ir. Brasília estava cheia. Voltar para seca num podia. Povo dele estava cansado de disfurço e constipiu com solão quente. Gurejando num sem parar nunca. Não tem pau de arara de volta. Só de ida. Numa direção só: Sul. Assinou com estes ditos sua sentença de morte. João Cândido, cuida de tudo. Quero que você e Dolores sumam com o corpo. Acho melhor jogar no rio. Amarrar uma pedra no pescoço. E outra nas pernas. Quando o povo do acampamento desse pela falta de Severino ia de desconfiar que havia morrido. Aprenderia lição de que num se brinca com Coronel. De que gente do Norte, da caatinga, não pode reinar em terra alheia, Cerrado.

João Cândido saiu do calado dele para perguntar com sua voz grave: sinhô qué qui nóis joga ele vivo no rio? Coronel gastou um pouco de tempo antes de dar resposta. Jagunço queria no muito poder jogar vivo. Melhor vivo pra aprender bem a lição. Mesmo depois de morto. Assim Dolores não vai ter que atirar, fazer barulho. João pensou na Filobé já preparada. Pra quando é o serviço? Amanhã. Nem uma noite deve passar mais sem a morte no acampamento da Rio-Brasília. Castigo quanto mais cedo é dado, mais

FOGO, CERRADO!

depressa é aprendido. João Cândido contou seu plano. Povo jagunço capataz acorda cedo pra tirar leite. Quatro e meia da manhã. Povo do acampamento, mais tarde. Quando o Sol já está levantado. Aquela gente gostava de jogar bola no de manhã. Todo domingo. Antes do calor dos Gerais chegar.

Cândido calculou tempo para ir até o acampamento, enfiar um saco de linhagem na cabeça do Severino bem antes do jogo começar. Ia de encher a boca do homem com os trapos da regra da nega Zefina. Assim ele sentiria o gostinho seco e salgado do sangue de uma mulher do Cerrado. Sangue pra ele saber que hora de acertar as contas com o Deus de Sinhazinha havia chegado. Num ia de ter sete palmos de terra por cima de seu cadáver defunto. Ia de ter sete palmos de água. Com a ajuda do Dolores, podia deixar ele espernear. Era só descer para o rio. Amoitado. Na beira do Santo Antônio havia uma canga velha. Punham a cabeça de Severino no meio. A usada por boi carreiro. Amarravam bem. De cada lado, uma pedra. Nos pés, tora de cinquenta quilos. O homem ia de estar com os olhos esbugalhados. Tempo teria, antes de morrer de vez, de fazer um exame de consciência, como dizia o monsenhor. Fundo do poço seria a paz de confessionário. Arrependeria dos pecados cometidos contra o Coronel, representante do poder naquele pedaço de Cerrado sem-fim. Homem bom. Senhor dos Gerais, desrespeitado. Esqueleto do réu condenado ficaria no fundo do poço onde os meninos pescavam piau. Profundezas. Traíra. Bagre. Pacu vez que outra. E piranha sempre de tocaia ali para comer bosta de passarinho ou algum filhote que caísse dos ninhos montados nos galhos de árvores que pendiam para o rio.

Povo do acampamento também gostava de pescar naquele poço. Mas corpo de Severino estaria bem no fundão. Se um mergulhasse, podia até ver o esqueleto branquelo. Dava não para saber o quem. Carne mesmo, nenhuma. Virava na hora comida dos peixes do Santo Antônio. Das piranhas! João Cândido pensava no homem lá debaixo d'água. Ainda vivo, tentando respirar. Imaginou o aparecimento de um monte de piranha e piau. No mais de repente começavam a comer o pinto dele, pensando que era isca. Sabia que Severino queria porque queria ter Madalena de mulher dele. Os olhos cheios de sangue, sem num ter nem poder fazer nada. Condição nenhuma de sentir comichão no pinto com mordida de piranha. Fié-da-puta.

Coronel decidiu de vez: não queria que Cândido matasse Severino antes de jogar o corpo no rio. Só se conveniência houvesse. Concordava que o subversivo deveria no muito sofrer. O dono dos Gerais fez ruga na testa. Esquisita. Ruga de medo? Ruga de preocupação? Coronel guardava parecença nenhuma com João Cândido. Vaqueiro não possuía de seu um tostão furado

FOGO, CERRADO!

que seja. Coronel juntava dinheiro muito no Banco da Lavoura. Cobre dos meeiros. Mil de mil réis dos nelores, das terras de alqueires tantos. Heranças. Dinheiro não parava de aumentar com a fuga dos aprendizes de Coronel, como Netim. Ele poderia perder tudo de seu se aquele comunistinha espalhasse a desobediência. E se os seguidores daquele sem-vergonha do Brizola engabelassem o Juscelino. Se ganhassem eleição. Ele votou no presidente. E já fazia a campanha JK-65. Mas Juscelino tinha homens de confiança bem no meio do governo dele de namoro com os comunistas.

Brasil podia ter fuzuê geral. Lambança. Aquele bigodudinho espevitado da UDN tinha jeito de querer empetecar o Brasil. Língua dele, cheia de palavreado difícil, falava bem do barbudo comunista de nome Che Guevara. O que fuzilou, sem dó, os coronéis de Cuba. Acabou com as posses da terra. Governo é que deveria ser o dono de tudo. Avareza. Ousadia dele, muita, criava seguidor brasileiro. Pregador novo. A gente barbuda estava metida no meio das Ligas Camponesas. Dos Sindicatos. Da tropa de marinheiros. Sindicalização rural? De jeito nenhum! JK teria de voltar em 65. Fazer estrada num sem parar. Para abrir espaço para fazendeiros nos Amazonas. Muitas Rio-Brasília. O Cerrado ia desaparecer. Pena! Junto, os comunistas.

Coronel compartia pensamento dele com Nêgo Dolores. Único dos Gerais sem ser Coronel que sabia entender coisa complicada, política. Não dava palpite. Contra os comunistas, sim. Queria no mais muito matar Severino. Ocupante de terra alheia. Invasor do Cerrado que era propriedade verdadeira dele e de Sá Joana. Avô da Nhá Preta, Antônio Bento chamado, foi o primeiro negro da família a chegar naquelas bandas do Cerrado. Chegou e ficou. Não era que nem os parentes antigos de Sá Joana, índios, que não paravam quietos num lugar. Iam e voltavam pelo Cerrado, do Paraguai até a Bahia. País deles, o Cerrado. Todo. Nêgo sabia história contada e história lida. Aprendeu nos livros do Coronel. Ficou bravo quando o Senhor dos Gerais parou estudo na quarta série. Nem completou o primário. Dom Xavier disse que não precisava. Ginasial e universidade faria trabalhando. Nas propriedades que um dia seriam dele. Dolores, não. Seguiu estudo. Queria muito saber coisas. Ser doutor advogado. Defender direitos dele. Começou com os livros de Sinhá Maura, irmã do Coronel.

Mulher sabida, sinhá Maura. Seguiu estudo contra a vontade do pai. Ele queria casar a filha com um dos irmãos do compadre Valdir. Ela queria ser advogada. Briga. Choro. Mãe descabelada. Histérica. Povo todo da família contra. Capital dos Gerais contra. Sinhá Maura fincou pé. Ia porque ia ser advogada. Fugiu de casa com 19 anos. Pai do Coronel, Dom Xavier, teve

Fogo, Cerrado!

notícia dela um ano depois. Recebeu recado por menino desconhecido. Dado para Dolores. Único que estava ao lado dela na briga. Único que a ajudou a fugir. Conseguiu arrumar dinheiro para Maura, vendendo as joias muitas que ela ganhou de presente do pai. Comprou passagem de Belo Horizonte para São Paulo. Sinhá Maura entrou na Faculdade São Francisco. Juntou os panos com um rapaz de Brodósqui. De ideias modernistas. E mandou recado para Dolores. Avisa pai e mãe que volto não mais.

Nêgo gostava de escutar Nhá Preta contar do avô dela, Antônio Bento, com cerimônia. Ouvia de cabeça baixa e com os olhos pegando fogo, ardidos, a história de um homem forte como um touro, levado escravo para trabalhar nos engenhos de Januária. Fugiu com mais dois amigos, depois de matarem seu Senhor. Perseguição. Embrenharam-se pelo Cerrado. Direção, Paracatu. Tempo pouco de fuga passou. Os cavalos chegaram. Primeiro do que som do latido de cachorro. Entraram numa vereda. Terra molhada podia despistar cheiro deles. Bicho animal cão ganhou. Decidiram cada qual correr por conta própria. Os dois companheiros de Antônio Bento foram pegos. Mãos deles, cortadas no ato. Depois, degolaram. Com facão derrubaram árvore. Fizeram cruz. Enfiaram a cabeça no alto do poste. Para dar exemplo. As mãos, uma sobre a outra, embaixo, na base da cruz, para formiga comer. Deixaram ali. Bem perto da fazenda. Escravos olhariam e não inventariam nova fuga. Para família sentir vergonha muita.

Fuga de Antônio Bento pelo Cerrado foi longa. Doída. Capitão do mato. Ameaça muita. No derepentemente. Meses de vagar nos escondidos do Cerradão. Matando preá e comendo cru mesmo, para não chamar atenção. Pescando. Dormindo em grotão. Caminhando pelas veredas. Sem deixar marca. Chegou no acampamento de negros fugidos. Dez léguas de Paracatu. Vila estava em perigo. Sempre. Caçar escravos rendia bom dinheiro. Carecia vigiar noite e dia. Duas vezes escapou por pouco. Os homens invadiram aldeia. Queimaram as cabanas de palha. Um ano de passado o susto, Antônio Bento armou expedição de caça de mulher para casamento. Poucas havia. Entrou em Paracatu numa madrugada silenciosa. Moça esperava por ele. Recebeu recado de menino negro. Pombo correio. Mulher parda. Antônio Bento levou susto com mulher bonita de não acabar. Mais que Madalena. No dizer da mãe dele, Dolores.

Avô de Dolores, Antônio Bento Filho, e avó, Maria Dolores Queirós, nasceram em Paracatu. Viveram juntos por dezessete anos. Ele trabalhou na roça, sob proteção do coronel Jonas Pereira. Até o dia em que decidiu ganhar mais, labutando por uns tempos no vapor que subia e descia o Rio Paracatu. Chegado o prazo de voltar, sumiu. Não ficou para acabar de criar a filha. Ninguém mais deu notícia dele. Maria Dolores, beleza muita herdada e fortaleza que andava, deu jeito de, sozinha, manter a filha, batizada Antônia Maria de Queirós Bento, Nhá Preta, de apelido. A mãe trabalhava duro de lavadeira de beira de rio. Ganhava pouco. Mas dava para os gastos da menina-moça. Quando a situação piorou demais, Maria Dolores aceitou ir para a fazenda de João Macedo Ferreira de Xavier. Dom Xavier, de família de bandeirante vindo de São Paulo para os Gerais e pai do Coronel dono da Fazenda Santo Antônio. Assim que chegou, Dom Xavier se engraçou com a filha de Maria Dolores. Ficou doido com tamanha formosura. Enrabichou por Nhá Preta. Família escondeu bem escondida arte do pai. Mulher dele aceitou situação. Se conformou. Combinaram não falar nunca sobre. Segredo de família.

Maria Dolores não se conformou com sem-vergonhice do velho. Filha, quase menina, vinda de Paracatu, era não para ser diversão de Dom Xavier. Só trouxe, sim, por mais pura precisão. Maria Dolores morreu um mês depois do acontecido. Ofendida por cobra-coral. Aninhada debaixo do travesseiro dela. Nhá Preta chorou choro profundo por morte da mãe.

Sozinha. Passado o luto, casou com o caboclo Tonico Neves. Homem atrevido. Soube que Dom Xavier quis ter Nhá Preta de concubina. Não deixou. Levou a moça para a casa dele, onde nasceu Joaquim das Dores Queirós Bento, de apelido Nêgo Dolores. O menino cresceu na casa do Coronel, onde a mãe trabalhava de sol a sol. Desde os dois anos mostrou fartura de inteligência. Sinhá Maura, irmã do Coronel, a melhor amiga. De sempre. Ela foi que ensinou Nêgo Dolores a ler, escrever e fazer contas.

Tonico Neves não suportou ciúme muito vendo mulher dele trabalhando quase que nem escrava na Casa-grande de Dom Xavier. Nhá Preta garantia que garantia que coração dela era só dele. Não acreditou. Dom Xavier era poderoso. Demais. Tonico amanheceu enforcado com laço amarrado em galho de pé de tamarindo. Morte das pavorosas. Ele botou o laço no pescoço. Quando corpo subiu um metro, amarrou o laço no currião. Dolores nunca sofreu tanto. Órfão de pai. Tempo deu para aprender a ser homem com o caboclo. Homem de braveza sem igual. Dele ganhou o primeiro canivete e a primeira vara de bambu de pescar. Aprendeu a montar. Tirar leite. Plantar feijão, mandioca e arroz. Era pai de paciência infinita com ele Dolores. Só ficava bravo com as manias de cidade que pegava na companhia de Sinhá Maura e dos outros irmãos do Coronel. Tonico Neves ensinou o menino

FOGO, CERRADO!

a matar. Sem ódio. Como bicho animal mata. Para comer. Ódio deve ser guardado para inimigo jurado. Teve raiva muita do pai. Não devia de ter se matado. Dever dele, pelo ensinado, seria o contrário: matar Dom Xavier e fugir para Goiás com Nhá Preta.

XVI

Coronel bem que sabia por experiência dele mesmo o que era ter medo da revolução. Da revolução dos vermelhos. Teve dia que chamou Cândido e Nêgo Dolores pra irem com ele até João Pinheiro. Comprou dez dúzias de foguete amarrado em vara de bambu. Mais vinte caixas de foguete de papelão. Três tiros. Busca-pé. Traque. Bombinha e bombão. Torpedo. Dono do armazém perguntou se era para festa de São João. Coronel explicou não. Pagou no calado. Riso no canto da boca. Já era noite começando quando chegou com o vaqueiro e Nêgo Dolores na fazenda de Valdir, outro Coronel e compadre vizinho seu. Chamava o amigo mais chegado de parente. Decidido estava de azucrinar a vida de Valdir. Só por diversão.

Lá pela meia-noite, se aproximou de mansinho da sede da Fazenda Buritizal levando na rabeira João e

Nêgo. Se esconderam no paiol. Bem perto da Casa-grande do Coronel compadre. Cachorros latiam. Reconheceram os visitantes. Pessoas da casa. Ficaram na fazeção de festa. Lambiam e faziam huim, num jeito de chorar de alegria. Contentamento de cachorro. Coronel repartiu a munição: muita pra ele, o que restou pra Dolores e João Cândido. Ordenou: vamos começar o foguetório. Contou baixinho: um, dois e já. Ordem iniciou pipocar de fogo rente ao chão. Bomba de tremer os Gerais. De fazer coruja abandonar esconderijo. De galinha voar assustada do poleiro na goiabeira. De cachorro se enfiar, choroso, no debaixo do paiol. Atacantes num apontavam os foguetes de vara de bambu para o céu, mas em direção à Casa-grande do Coronel Valdir. Onde explodiam. Com barulho maior do que faziam no alto do céu. Soltaram busca-pé. Vaga-lume começou a aparecer de monte. Alumiavam a sede. Grilo, besouro, mariposa, gafanhoto e tanajura saíam no apressado da grama bem cuidada em volta da sede da fazenda. Pólvora. Muita. Fumaça fedida ia do quintal para a dentro de casa. Entrava pelas gretas da porta. Provocava lágrimas como as feitas por cebola e alho.

Mundo estava vindo abaixo no silêncio mais puro dos Gerais. Cachorro urrava. Galinha pulava. Pato e marreco corriam de um lado para outro no quenquém fanhoso deles. Gato miava miado de cio. Morcego voava sem destino. Trombando nas árvores. E ficando lá pregados.

FOGO, CERRADO!

Coronel gritava que nem doido: vocês vão morrer tudo. A revolução comunista tá chegando. Agora, terra é do povo. Coruja piava. Gambá abandonava galinheiro com a boca lambuzada. O Cerrado estava como se tivesse pegando fogo. Com pipocar de foguetes. As bolas de luz cruzavam uma com a outra, rastejando como cobra de fogo. Explodiam. Cândido e Dolores aprenderam o refrão. Gritavam com a força toda dos pulmões: terra agora é do povo. Num vai sobrar vivalma de Coronel nestes Gerais. Será um paísão sem cerca de arame farpado. Comida pra todo mundo. Boia farta. Carne todo dia. Cambada de gente ruim. Aproveitadora do trabalho de homens simples. Do povo. Coronel olhou entre assustado e cismado em direção aos jagunços. Não se importou com palavreado deles. Gritavam como comunistas. Como Severino. Mas ousadia nenhuma de traição tinham. Estavam mesmo é se divertindo.

Dentro da Casa-grande, menino pequeno chorava num sem parar. Fora, cachorro uivava. Cabrito subia em árvore. Bezerros trepavam na cerca do curral. As vacas mães acudiam. Os foguetes pipocavam num seguido mais depressa. Ao passar junto à bosta de vaca, deixavam cheiro de incenso de capim queimado. Fumaceira de dia da missa do galo. De matar pernilongo. Comunistas não comem criancinha não. Tudo mentira. A terra é do povo.

Gritaria pavorosa em volta da casa do compadre. Valdir chorava desconsolado de junto do quadro de

Nossa Senhora do Perpétuo Socorro. No meio dos olhos embaçados, via a santa largando o Menino Jesus, saindo da moldura do quadro pra passar a mão na cabeça dele. Mão carinhosa de virgem. Protetora. Fez cafuné no seu pescoço. Em volta das orelhas. Mordiscou a ponta. De leve. As mãos brancas e leitosas entraram no cabelo dele. Pela nuca. Como cobra se escondendo entre folhas de bananeira. Cara de choro e de contentura se misturaram. De repente, emudeceu. Pinto duro. Comovido com o milagre: minha Nossa Senhora num deixa esses comunistas matar nós não. Revolução chegou. Bem que avisei que o Juscelino andava mal-acompanhado. PTB. Pê Tê Bosta. Fié-da-puta de Brizola. Fié-da-puta de Julião. Liga camponesa fié-das-unhas.

Virgem, mãe? Por que aquele num-fazer nada contra os comunistas? Perdeu poder milagreiro? Santa sabia o futuro. O que a mão dela estava fazendo no seu umbigo. Procurava a braguia. Comadre Sinhá olhava seu homem naquele estado. Tocava o pinto como se vontade tivesse dela. Valdir gostou daquela mão doce, cheirando a leite de rosas, procurando pelo pinto duro. Cabelo perfumado de água de colônia. Cheiro forte de jasmim. Bochechas vermelhas. Boca rosada. Descendo. O Menino Jesus, no quadro, olhava assustado pra ele e pra sua Santa Mãe. Ela começou a lamber o pinto do Coronel. Docemente, santamente. Devagarzinho. Sem machucar. Melhor mesmo que Rita Boca de Ouro, mais

FOGO, CERRADO!

estouvada. Do que Mercês. Pouco treinada. Ela. Gozo mais forte e junto nunca ia de ter.

Levou o primeiro tapa na cara. A mulher dele gritava histérica. Homem, os comunistas estão aí na porta e você todo molhado aos pés de Nossa Senhora do Perpétuo Socorro? Heresia. Te arrepende, homem. Já. Entrega as terras para os comunistas. Salva nossas vidas. Razão, homem. A mulher não sabia direito o que era revolução comunista. Sabia que sua vez estava chegando. Revolução é coisa pior, mas muito pior mesmo que reforma agrária, explicou o monsenhor na missa de Paracatu. Os dois, reforma e revolução, num prestam. Nasceram do Diabo. Ajoelhou-se ao lado do marido e começou a rezar um creio-em-deus-pai. Com a fé de toda uma vida.

Nos fundos da Casa-grande, os jagunços do Coronel Valdir já estavam rendidos. Por eles mesmos. Com tanto tiro, um depois do outro, mais estouro de bomba-canhão, ninguém resiste. Estavam juntos, ombro no ombro, mãos entre as pernas, sentados no banco da cozinha do rancho. Jagunços-capangas, querendo viver. As garruchas não tinham serventia. Os Gerais estavam mudando de dono. De vez. Hora de ver qual Coronel novo ia de assumir o mando. Valdir era passado.

De repente, o barulho se aquietou. Silêncio voltou ao Cerrado. Quietice nos Gerais. Bicho animal tranquilizou. Choro suave e conformado na casa do Coronel Valdir. Seria assim no dia da tal revolução? Fora, João Cândido, de nunca rir, mostrava os dentes amarelados. De fumo goiano muito. Dolores, dentes brancos todos à mostra, gargalhava um gargalhar de menino matreiro. Coronel gritava compadre sou eu. Arrumei brincadeira. Vai me desculpando. Valdir reconheceu a voz do amigo. Desajoelhou-se do pé da santa e tirou as tramelas da porta da frente. Coronel entrou rindo, pisando forte, seguido pelos capangas. Sorriso deles todos acabou seco, cortado. Viram a figura de doido varrido do compadre Valdir. Ninguém falou mais nada não.

Compadre estava todo descabelado. De longe podiam sentir o cheiro dele. Estava todo borrado. A bosta, mole e fedida, escorria pelas calças do pijama-camisola. Pingava no chão. Aquele fedido era forte demais pra se aguentar. Na frente, a braguia aberta. Tava uma mistura no mais de esquisita. Valdir, doido manso, nem se dera conta de que estava todo borrado. Deu um abraço longo no Coronel: faz isso comigo não, compadre. Apertou um pouco mais os braços em volta do amigo. Cê me mata de tanto susto. Coronel ficou todo breado de bosta e do resto. Queria vomitar. Fedor desgraçado. Saiu com as roupas carregando cheiro ruim de bosta do amigo. Piriri de medo. Mole. Fedendo a pavor. Olhou mais pra dentro da casa e viu os capangas do compadre entrando na sala, amuados. Resto de medo. Desconfiança. Paieiro aceso pra espantar o fedor. Olhos ainda esbugalhados. Medo do ódio do patrão que ia de chegar mais tarde.

FOGO, CERRADO!

Encostada no guarda-louça amarelo, entre duas lamparinas acesas, mulher do compadre Valdir mais parecia um fantasma com aquele camisolão. Deu uma tremedeira nela. Num parava de falar: revolução, comunistas, cuidado Vardir, vão matar nóis, cuidado Vardir, eles tão chegando armados com bala de matar, os comunistas vão comer nossos filhinhos, revolução, liga camponesa, Julião, Vardir, cuidado. Coronel Valdir, todo sujo de bosta, num saía do lugar. Ouvia a falação da mulher e completava: eles vão matar os meninos todos do Brasil. O Coronel, sertanejo forte, era agora um homem manso, quase acabado. Ombros meio pra caídos. Falava devagar. Parecia padre beato.

O povo comentou que comadre nunca mais parou de variar. Ficou, entra ano sai ano, trancada num quarto, gritando, arranhando a porta com as unhas. Sem quase comer. Creio em Deus Padre. Revolução, comunistas, cuidado Valdir, vão matar nóis. O povo da roça conta mais que ela morreu pouco antes do monsenhor de Paracatu chegar pra dar extrema-unção. Morreu e ressuscitou. No momento de passar uns óleos nos pés dela, de dentro do esqueleto saiu um urro sofrido e chorado: eles me agarraram; até que enfim os comunistas me pegaram. Ela, mulher recatada de sempre, soltou um fié-da-puta bem falado. Foi o primeiro palavrão de toda a sua vida. Último, também.

Valdir, dizem, nunca perdeu o cheiro de bosta. Por onde andava, arrastava com ele bando de mosquito grande, varejeiras, voando em volta e fazendo um zuim sem parar. Nem brigou com o compadre, santo homem. A fazenda ficou com o filho que estudava para agrônomo em Viçosa. Coronel implicou que queria ser padre capuchinho. Que queria que Nossa Senhora voltasse. Daquele jeito gostoso. Para fazer com ele o que bem quisesse. Não deixaram que entrasse no convento. Procurou reitor de seminário de Patos. Contou que tinha paixão de verdade por Perpétuo Socorro. Recebeu um não raivoso. Conseguiu só virar sacristão em Montes Claros. Batia o sino. Ajudar missa num podia por causa do cheiro.

Coronel matutava no desconchavo do compadre Valdir e sentia o fedor da bosta dele. Carecia acabar com este cheiro maldito. Lavar as mãos com sangue, único modo de. O povo do acampamento estava pensando em revolução verdadeira. Não era potoca. Tempo de brincar de revolução de foguete passou. Deixou uma doida morta e um santo sacristão apaixonado por Nossa Senhora. Comunista estava por tudo quanto é canto. E, agora, mexiam com ele, homem do PSD, de JK. Fiel. E o presidente nem precisava ajudar. Já havia combinado tudo com o major. Conversa antiga havia tido com o homem vestido de verde. Homem seguro e forte. Andava pelas terras dos coronéis pra dar recado sobre as caminhanças dos comunistas. Combater aquela revolução em suas terras era só de responsabilidade dele e do major. As tropas estavam preparadas. Terminado o trabalho no

Fogo, Cerrado!

acampamento iria pra Brasília com Sinhazinha. Quem sabe até contava para seu presidente como tinha acabado com a comunistada.

João Cândido e Nêgo Dolores, seu povo jagunço, davam conta do homem Severino. Coronel só teve medo de estar um dia sozinho no meio do acampamento, sem seus protetores. Podia bem contratar mais capangas. Era só pegar roceiro e distribuir Filobé. Povo da roça num sabe nunca viver sem um pai e Chefe Maior. Só de pensar em topar vez outra com Severino, pelos do corpo do Coronel arrupiavam todos. Chegou mais pra beira do fogo. Esquentou as mãos, as materas, virou de costas pra fogueira, cuspiu. Deixou raiva ir passando. De novo. Olhou pra Cândido e Dolores. Os dois já sabiam das ordens. Precisas. Matar o troncudim do Severino. Fogueira tava no fim. E prosa de morte também. Inté, disse Coronel. Repetiu, baixinho, as ordens. Foi saindo e aviso de perigo nele entrando de volta. Lembranças de Valdir. Iria pra casa no escuro. Não havia de haver tocaia? Severino não podia ter escutado a conversa com os jagunços?

A Casa-grande e branca estava lá perto, alumiada pela luz da lua. Lampião aceso na sala. Lamparina no quarto de Sinhazinha. Podia ver tremulando. Como viu a bandeira do Brasil. No monumento aos pracinhas. No Rio. Chegar gastava tempo de um grito de distância. Cada sombra, um arrepio. Coronel começou a suar. Suar desarmado. Andava um passo, escutava uma folha de pé de mamona cair e pulava de lado. Parou para mijar. Verteu água que não tinha para verter. Virava a cabeça dum lado pra outro enquanto a água caía. Pio de coruja bastava para cabelinhos do braço furarem a camisa de tão arrupiados. Morcegão voava no bem depressa dele, perto da cumieira de sua orelha.

O homem chegou em casa igual menino perdido do pai em cidade grande. Pegou logo o 38. Tava carregado. Ficou acordado. Chamou a mulher. Foi pra varanda e gritou: Cândido, ô Cândido, manda Tonho. Cândido ainda esquentava corpo num restinho de brasa. Levantou devagar. Ordem do Coronel num era pra ser entendida. Só obedecida. Pra que ir pra casa do Coronel? Tonho não carecia saber. Vai ver precisava dele pra esquentar água pra lavar os pés antes de dormir. Madalena devia de estar doente. O menino levantou-se da cama com olhos vermelhos. Dormiu cedo. Para não gorar plano montado com irmão de irem, no final da madrugada, para a beira do poço. Ver Severino morrer. Para aprender melhor o como. Ouviu a voz do pai dando a ordem. Caminhou pra Casa-grande ainda meio sonso.

Nem bem chegou, Tonho já estava com uma cartucheira na mão. Coronel avisou: aí tem chumbo grosso, pra matar veado-mateiro. Tem gente querendo tomar nossas terras, Tonho. Não vamos deixar, filho. Menino sentiu uma zoeira na cabeça. Devia de tá dormindo. A terra num era dele. Ou será que era e num sabia. Ele

Fogo, Cerrado!

num era do Coronel? Igualzinho a seu pai? Agarrou a cartucheira. Sentou no banco da varanda. Vento frio. Lembrou de novo do segredo contado pelo homem da Rádio Nacional do Rio de Janeiro. Tentou esconder as pernas finas. Seriema se protegendo da onda de frio que anunciava presença. Logo-logo dormiu.

Acordou com Coronel balançando suavemente seu ombro. Diferente do pai que daria um chute com o bico de matera na bunda dele. Acorde, você não é nenhum capiau da roça. Filho de jagunço-capanga é capanga--jagunço, sô. Tonho acordou de vez. Coronel parecia ter cara de susto. Como a de quem já foi mordido por cobra. Podia de ser lembrança do ocorrido com compadre Valdir. Medo de história se repetir. Desta vez, de verdade. Se aquietou. Ligou o rádio. Botou alto. Rádio Nacional. Passava depressa pela Mairinque Veiga. Pela Guaíba. O Cerrado dormia sono pesado. Nove da noite. Sábado. O dono dos Gerais ficou mais calmo. Passou o nervoso. Voltou pra varanda. Olhou pro rancho de Dolores. Viu as brasas e duas luzinhas. Cândido e Dolores fumavam um paieiro. Goiano. João e Nêgo não conversavam, pitavam calados. Soltando a fumaça e tentando agarrar ela de novo, pelo nariz, pra sentir o cheirinho do fumo de rolo pequeno e amarelo comprado no entroncamento. Agachados, junto às últimas brasas, escutavam o barulho dos Gerais à noite. Barulho nenhum. Silêncio bom de dormir.

XVII

Dolores pensava para dentro dele mesmo. Acordar bem no antes do Sol. Andar pelas trilhas conhecidas até de olho fechado. Pelo pastim. Evitar a estradinha. Chamar atenção nenhuma. Povo do acampamento é arisco. Estava no mesmo agora num forró de varar madrugada adentro. O acampamento não era tão longe. Distância de três gritos. No apressado dava para chegar num tiro. Era só ir lá, fazer o serviço. Apurar o passo na volta. Recomeçar ramerrão diário. Como se tudo tivesse igual nos Gerais. Voltear pelas roças para vistoriar trabalho de capina. Tratar dos porcos. Brasas viraram cinza. Ventinho esquisito. Trazia frio desconhecido. Friagem entrava pelos buracos da camisa. Dolores levantou primeiro. Espreguiçou-se todo desengonçado. Balançou as costas que nem cavalo quando tira manchão. Inté. Cândido ainda esperou pra ver se Tonho voltava lá da casa do Coronel. Será que num ia de? Tinha sono nenhum. Era madrugada de Madalena.

Coronel sempre quis ter Casa-grande. Daquelas com alpendre e dezesseis quartos. Os tempos não eram mais os de antigamente. Casa só de sete quartos. Ele ocupava um, cinco ficavam vazios. Arrumados. Cheiro de limpo. Puro. De cambraia. Esperando visita de monsenhor, convidado de Sinhazinha, ou de major, o homem de verde, irmão e amigo dele. Filhos em férias. O sétimo quarto ficava cheio de sacos de sessenta quilos: café, açúcar, arroz, feijão e farinha. Pacotes de fósforo. De macarrão. Latas de banha e de querosene. Armazém do Coronel. Mantimentos pra pagar os meeiros. Troca valia a pena pra roceiro. Povo da roça era mais que conformado. Matreiro, vez ou outra. Mas Deus e Nossa Senhora eram tudo para eles. Os santos e Nêgo Dolores aumentavam o respeito pelo Senhor dos Gerais.

Em nome da Virgem e de Seu Filho, povo da roça via o Coronel como o representante de Deus na Terra, com poder delegado pelo Santo Padre. Coronel se importava não. Roceiro deixa as matreirices pra tentar viver. Latas de querosene e banha na carroça puxada por burro barrigudo eram o pagamento por um carro de milho não debulhado. Ainda sobravam uns cobres pra comprar fumo e esperar mascate chegar com roupa pros meninos. Agrado pra mulher. Butina nova. Espelho. Coronel não

FOGO, CERRADO!

vendia roupa, fumo nem cachaça. Só o que de comer.
Coisas de precisão de sempre. Chefe Maior do povo da
roça, do povo jagunço-capanga, das terras do Cerrado,
do rio e da água, não queria mais outro povo em seus
domínios. Menos ainda este do acampamento. Num
tinha o que fazer ali. Povinho abusado. Ele queria pôr
todo mundo num pau de arara, levar pra rodovia e mandar
o motorista tocar pra Brasília. Ou pra São Paulo. Aquele
povo era de raça ruim. Dava medo. Da reforma agrária.
Dos comunistas. Coronel mais parecia compadre Valdir
no dia do grande susto.

Medo de Severino. Quem sabe? Dia qualquer troncudim poderia se atrever a preparar emboscada. Carecia
da proteção do major. Por enquanto, até madrugada raiar,
precisão era de mais um homem. Pra isso estava ali Tonho.
Bastava. Confiança tanta tinha no menino. Receio nenhum de entregar vida nas mãos dele. Não comentava,
pra povo ouvir, orgulho muito de Tonho ser filho verdadeiro dele, Coronel. Dormiu com Zefina recém-casada
com seu vaqueiro. Esconderam segredo. Sete chaves.
Cândido soubesse, mataria os dois. Pena nenhuma teria.
Raiva seria tanta que podia até chegar ao menino. Filho
de verdade do Coronel e de mentira de João Cândido
dava voltas na Casa-grande com andar de sentinela de
quartel dos soldados de amarelo. Carregava cartucheira
no ombro. Aparentava marchar. Ou apontada para o
chão de cimento. O barulho do silêncio do Sertão foi

quebrado pelo matraquear de escapamento de trator. Tarde demais para tratorista estar na labuta. Tranquilidade do Coronel voltou só quando pressentiu motivo: a Companhia estava apurando a saída dos engenheiros. Derrubando as casas do outro lado da rodovia. O combinado. Dia seguinte começava e acabava a ocupação das terras dele. Pela paz, como acordado com diretor da Companhia. Ou pela guerra, vontade de Severino.

Cândido e Dolores também escutaram barulho do trator. Estranharam som estar perto demais. Som do outro lado da estrada demorava de três a quatro gritos para chegar até a tapera e o rancho. Da fogueira, restou só uma brasa. Tudo escuro, com as nuvens teimando em esconder a Lua. Barulho do motor do trator foi enfraquecendo até sumir. Silêncio e paradeza de morte. Não o estremecimento bom de dia de trovoada braba. Não o medo do depois de Severino morto e de povo do acampamento expulso. Alguma coisa podia de não dar certo. Na rodovia, um Fenemê passou chorando na subida depois da ponte do Santo Antônio, o rio de águas fartas. Tonho teve ponta de medo. Um quase nada. Puxou conversa com Coronel.

O menino pediu para Coronel nunca duvidar da coragem dele tanta. Do respeito. Igual de filho pra pai. Iniciaram conversa sobre boiada. Tempos de tropeiro. A prosa parecia ter um jeito triste. Como a de despedida de parente, no entroncamento, de partida para Belo Horizonte ou Brasília. Sem dia de volta marcar. Nunca. Olhos olhando

FOGO, CERRADO!

o chão iluminado pela luz da Lua. Tonho ganhou coragem e contou primeiro segredo. Do ouvido na Rádio Nacional. Da chegada da onda do frio. Revelou seus temores todos. O da chegada da onda de frio nos Gerais. Coronel chamou a atenção dele: medo besta esse, sô. Cê já tá pra lá de grandinho. O da vontade de casar com Mariquinha. Vou falar com comadre Chiquinha para liberar a menina. O da vingança do padrasto, morto por ele. Coronel estufou o peito: Preocupa não. Nada há de acontecer com você.

Tonho lascou a pergunta no de repente: posso ajudar pai e Nêgo a matar Severino? Coronel desconversou. Lembrou o menino de quando, com cinco anos, atravessaram o Santo Antônio no tempo das cheias. Ele na garupa. Baio só com focinho fora d'água. Correnteza muita foi levando os três. Os dedos do menino, finos e magricelos, fincaram na barriga do Coronel. Braços não alcançavam para dar volta. Cavalo encolheu. Deixou água ir levando. Medo e alegria na hora aquela de enfrentar aquele monstro de água num sem parar nunca. Corrente com força grandiosa. Maior do que mil bois carreiros. Ou de touros igual ao Monarca. Lembrou de quando apiou do outro lado. Olhos brilhando. Homenzinho, já! Disse o Coronel. Filme foi voltando na voz dele até chegar à formosura de Zefina, mãe de Tonho, no dia do casamento. Coronel de padrinho. Menino escutava recordação. Cabeça baixa. Tempos bons. De aprender segredos do Cerrado. Com o dono mesmo. Coronel levantou, entrou em casa, pegou garrafa de cachaça Havana e duas xicrinhas. Serviu um pingo para ele e outro para o menino. Homens. Parceiros.

Coronel encostou o corpo na parede branca. Cabeça em ontem. Fechou os olhos e sonhou com Zefina. No casamento, ele era o noivo. Cândido, padrinho. A chegada na Casa-grande. A vontade de não poder segurar a hora de. Noite toda num sem parar. Não entendeu quando Sinhazinha, sua mulher verdadeira, entrou no quarto, como se fosse empregada, trazendo café da manhã na cama. Para ele. E Zefina. Sinhazinha perguntava se Coronel tinha mais para ordenar. Tonho, quando viu a cara de felicidade do Coronel no sono-sonho, pegou colcha e o cobriu. Efeito da pinga. Bom. Deu um abraço de leve na cabeça do homem. Preocupa, não. Foi fazer café.

Cheiro forte acendeu os olhos castanhos da cor de mel de jataí do Coronel. Tonho serviu na xícara de pinga mesmo. Madalena dormia. Sua mulher dormia. Pediu ao menino outro gole. Desta vez, amargo. E forte pra espantar o sono. Tonho passou outro. Coronel tomou e esqueceu conversas do passado. Deu um trupicão no tempo. Sentiu sabor, no café, do sangue daqueles des-graçados que o faziam perder noite de sono. Por quantas noites ficaria assim? No depender dele, só mais o resto de madrugada aquela. Até troncudim morrer. Torcia para o governo tomar coragem. Aproveitar exemplo dele. Caçar e matar todos os comunistas. Acabar com cambada

FOGO, CERRADO!

de Severinos espalhados pelo Sertão Brasil. JK e seus comunistas infiltrados. A Rádio Globo bem que avisava toda noite. Dava nome aos bois. Prestes, Brizola, Julião e aquele padre comunista falando em sindicato rural. Monte de fiés-da-puta. Sempre teria que esperar revolução? Sempre? Não. Amanhã começaria a sua revolução própria, antes da deles. Minha revolução, matutava esbravejante. Minha e do major, bravo homem de verde. Rosto avermelhava ao soltar cada palavrão. A revolução de um Coronel é das feias. Pior do que qualquer outra. Capaz de acabar com todo um povo.

O descarrego de raiva ao pensar no destino dos inimigos deu a ele um quê de tranquilidade. Por um minuto ou uma hora? No paiol, barulho forte. As galinhas empoleiradas no pé de limão deram o alarma. É ele, gritou o Coronel. Gritava e atirava com revólver. Tonho com a cartucheira. Pra onde, não sabia. Inimigo não via. Até que Sinhazinha, acordada no susto, trouxe lampião. Tonho alumiou a raposinha que saía fuleira, balançando o rabo depois de agarrar e matar frango do pescoço pelado. Bicho mais sem medo de tiro. Chispou para a capoeira.

Meio de madrugada. Silêncio ruidoso. Tique-taque monótono e infindável no despertador. Dia que não chegava nunca. Noite só de curiango. Duas da madrugada. Tonho falou para ele mesmo. Sou melhor que o índio Tonto e Roi Rodiger. Juntos. Coronel ouviu. E riu. Para esconder terror de ataque do povo do acampamento.

Noite de inquietude para o dono dos Gerais. Severino, o condenado a morrer, certeza estava na farra com alguma mulher do povo dele. Silêncio de meter medo. Silêncio de mula-sem-cabeça.

Nervosia do Coronel num ir e vir dava alergia. Como se sarna no corpo tivesse. Ou coceira ardida depois de arranhão em pé de assa-peixe. Andava de um lado para outro. Fazia gestos com as mãos como se estivesse explicando, para ninguém à vista, perigo real dos comunistas. Os lábios arroxeados, da cor das violetas plantadas por Sinhazinha em frente à Casa-grande. Pensava alto na revolução que chegava. Eles querem tomar minha terra. Comprei isso aqui com o suor de meu trabalho e as heranças de papai. Agora, vêm aí esses safados do acampamento, esse povinho de merda, querendo tomar tudo. Morar aqui. Viveram no Santo Antônio por quase dois anos, tomaram minha água pura. Deixou a Companhia construir as casas em sua terra só porque a estrada era mais uma obra do Juscelino. Se aquele sem-vergonha do Jânio, de São Paulo, ganhasse do Lott iria parar construção da rodovia. Lotear as terras em volta e dar de presente para preguiçoso. JK foi ligeiro. Acabou a Rio-Brasília antes. Acabou também com trabalho do povo do acampamento, armador e marceneiro, na construção da rodovia. Ponte pronta. Asfalto pronto. Companhia indo embora com seus mestres de obras e engenheiros.

FOGO, CERRADO!

Povo do acampamento fincou pé nas suas terras a mando de Severino. Noites muitas sonhava com o conversar de nordestino dele. Cabeça arredondada. Cabeludo. Bigodão preto. Olho de cobra jararacuçu. Bochechudo. Barriga saindo da camiseta sem manga. Pés achatados. Dedão grosso e sujo. Alpercatas de couro. Andava no lentamente carregando um bundão. Parecença nenhuma com o povo dos Gerais. Papagaio de mulher da vida. Falador demasiado. Entrava de casa em casa, parava gente na estradinha, cumprimentava num sem parar. Balançava o corpo na hora de rir. Sempre pra direita. Batia palmas enquanto gargalhava. Mulherengo. Não podia ver rabo de saia. Ficou sabendo dele visitando as filhas do Netim. Emprenhou todas, Dolores contou. Gostava de pinga. Não uma qualquer. Pedia a amigos muitos para trazer de Januária. Um gole antes de cada comida. Sobrando dinheiro, uma bicada na pinga e um copo de Brahma.

Severino no sonho do Coronel era um sapo de bigode. Sapo-boi gigante. Coronel mexia com ele e tamanho aumentava. Inflava como um balão. Corpo nascia na rodovia e morria na fazenda velha. Coronel ficava debaixo daquela carne mole e visguenta. Agonia muita ali enterrado vivo. Saía todo molhado. Gosma. E vinha o pior. Sapo soltava uma mijada a jato. Mijada venenosa jogava ele no cemitério de Belo Horizonte. Caía dentro do caixão. Bispo passava óleo nos seus pés. Severino fechava o caixão com sorriso matreiro. Aquela escuridão era pavorosa. Arranhava a madeira com as unhas. Gritava. Ar acabando. Sufoqueira. Acordava respirando fundo. Molhado de suor. Ódio no coração dele ganhava mais espaço. Ódio bem maior mesmo do que tido contra o sapo-cururu do pesadelo.

Os olhos do Coronel brilhavam quando a luz da lamparina batia neles. Brilho estranho. Misturado. Medo de dormir e sonho voltar. Ódio, sentimento de morte de mando mandado que se aproxima. Corpo se agitava. Convulsão de febre é o que parecia. De repente aconteceu um tiro. Barulho vinha das bandas da represa, atrás da Casa-grande. Tiro mesmo, não era foguete. Nem compadre Valdir dando o troco. Arma de calibre grosso. Tonho, meu filho, desde quando me entendo por gente nunca vi uma noite com tanta lereia neste Sertão dos Gerais. Tudo de perigoso parece acontecer no momento presente. Como se alguém quisesse me atentar. Me botar medo. Só pode ser isso.

Coronel agarrou o 38. Mandou Tonho pegar mais atenção. Entrou pra dentro de casa. Passou duas tramelas na porta da frente. Botou trinco. Acordou a mulher. Que serventia tinha a patroa? Melhor chamar Madalena. Poderia dar aquela buniteza para os comunistas. Eles não gostavam de fazer bandalheira com mulher? Comiam Madalena e esqueceriam dele. Severino não estava enrabichado por Madalena? Que levasse, ora bolas. Ia de gostar e muito. Era a melhor mulher dos Gerais. Dada de graça pra ele cuidar. De verdade, de verdade ela nunca o ajudou na hora do vamos ver. Imagina se ajudasse.

Aquela boca correndo o corpo dele. Os peitos roçando sua cara. Língua afiada. Madalena era de temperamento ruim. Ruim só para ele. Sabia que se juntasse com outro qualquer ia ser só sem-vergonhice. Como fazia com Tonho. Sabia. Inveja e orgulho. Do filho. Deixado no ninho de João Cândido. Apelido Tico-Tico. Criador de filho alheio. Sem nem desconfiar.

Coronel pensou na morte. Não era só Senhor dos Gerais. Era, também, dono da vida própria dele. Faria com ela o que quisesse. Hora de decidir morrer não chegou. Melhor mesmo é querer viver. Desfrutar. Sem os comunistas. Sem Reforma Agrária. O silêncio de doer os ouvidos voltou. Um só tiro. Sem tiroteio seguido. Aquele silêncio, disgrama! Podia ser que estavam cercando a Casa-grande. Ou que tiro disparou por acaso. Ou que os comunistas todos estavam prontos pra matar os de casa, o que restou de sua propriedade. Coronel só tinha aquele cantinho seguro de seu. O povo do acampamento tomou tudo. Pare de pensar em coisa ruim. Tonho fez o pedido. Vou ter que repetir, confie: nunca vou deixar coisa ruim acontecer com o senhor. Minha vida é sua. Posso morrer. Mas o senhor vai não. Estou já treinado. Contou num sem parar as mortes muitas de animais. No preparo do jagunceio. Tenho a machadinha. O senhor mesmo deu. Melhor que peixeira. Até mesmo espingarda. Coronel ouviu discurso de quase hora. De incentivo. De dar tranquilidade. Pegou no sono. Profundo.

XVIII

Tonho vigiava sono do Coronel. Agitação dele no pesadelo era grande. Devia de estar sonhando com Severino. Na certeza. E era. Sonhava que povo do acampamento vinha da terra do cangaço. Usava peixeira. Contra ele, Coronel. Sentiu a faca entrando em sua barriga. Macio, suave. Faca amolada. Furava banha da pança. Sangue grosso escorria. Encharcou a cueca suada. Aquele homem do povo do acampamento rodava devagarzinho a peixeira. Sem prazer. Com frieza. Chegou às tripas no devagar. A ponta encostou lá. Fez força, não encontrou resistência. Melhor abrir tudo duma vez, fié-da-mãe comunista. Fura entre meio das costelas. Sobe. Pouquinho mais. Pega o coração. É seu. Os Gerais são do cangaço. Jagunços perderam a guerra. João Cândido. Nêgo Dolores. Onde estão vocês? Só sentia a presença de Tonho. O filho do Coronel ouvia, calado, apelo com voz engrolada do Coronel. Sonho ruim não acabava nunca. Acordou o Coronel e deu a ele um copo de caldo de cana. Calmante. Como água com açúcar. Ele precisava se acalmar. O Senhor dos Gerais respirou fundo. Seguidamente. Balançou a cabeça. Pinicou as costas da mão.

Chefe Maior acordou Madalena. Acordou a patroa. A mulher sem entender. Passos mais perto da casa. De uma só pessoa. De tropa? O exército devia de aparecer. Foi o combinado com o major amigo. O que passou pela Fazenda Santo Antônio distribuindo arma e bala contra os comunistas. Avisando. Alertando da existência de perigos muitos. Batidas na porta. Coronel apontou o revólver. Entrem logo, seus comunistas de uma figa, comunistas safados. Tonho, sem medo algum, tentou acalmar fuzueira. Batida na porta era de mão conhecida. Coronel nem se assuntou. Tomaram minha terra e o Brasil. Entreguem tudo aos comedores de criancinhas lá dos russos. Voz tranquila do menino Tonho voltou a cortar o discurso. No devagar lá dele falou manso pro patrão: quitem gente perigosa não. É o pai. Devia de ter ouvido o tiro pras bandas da represa. Veio conferir se estava tudo bem. Coronel abriu a porta. Pediu para o vaqueiro ficar. Um que não. Tonho, meu filho, vai ver quem é este fié-das-unha que deu tiro. Mata ele. Começa matando agora. Mulher, pra cama.

Fogo, Cerrado!

Tonho saiu rumo à represa. Sem medo. Só cuidava pra num ser tocaiado. Madrugada, hora boa pra pegar inimigo. Morte é morte. Gente, como bicho que é, há de sempre morrer um dia. Ele cuidava para Coronel viver. Sina. Desde que mundo é mundo sempre foi assim. Ninguém há de alterar ordem das coisas. O que tava feito tá feito. Nem adianta força pra desfazer. Restava modo de mudar. Jogo da vida tem blefe não. Truco, sim. Muito.

Filho verdadeiro do Coronel e filho de criação de João Cândido acercou-se, silencioso, da represa. Frio maior. De rachar. Luz da lua mostrava. Neblina cobria a lagoa. O menino viu, por entre o nevoeiro e a escuridão, dois pontos vermelhos, redondos e brilhantes. Entendeu tudo. Pedrão caçador estava ali dando tiro em jacaré. Dedo de prosa. Deixou pra lá. Riu riso devagar. Voltou pra Casa--grande. Né nada não. Só Pedrão caçando jacaré na represa. Disse que o senhor mesmo mandou ele vir hoje. Pra caso pai e Nêgo Dolor não dessem conta de acabar com a vida de Severino. Chegou sem aviso dar. Pra não levantar suspeita no povo do acampamento. Tomou caminho da rodovia e preparar tocaia. Severino, no usual, terminada partida de sempre no domingo, pulava na água Pra refrescar o corpo, hora do mergulho. Severino já voltaria morto quando chegasse à tona. Tonho explicou plano de Pedrão ao Coronel. Ele aprovou.

O rosto duro, de pedra, do Coronel foi amolecendo. As rugas davam pra ver melhor. Parecia mais velho. Noite de um ano. Relógio na madrugada aquela andava mais rápido. A patroa roncava. Ronco de mentira. Madalena respirava suave. Fingia sono. Rosto dela era tranquilo. Dormia sem roupa. João Cândido viu pela porta entreaberta. Só a ponta do peitinho. Pinto duro de imediato. Resto do corpo da mulher estava coberto por edredom da cor do cavalo Ventania. Rubi.

Coronel ligou o rádio. Quem sabe Rádio Nacional dava notícia de ação dos comunistas. Lacerda não era da turma do JK. Mas sabia de verdade o que ia de acontecer. Tinha sido um deles. Rádio podia bem falar do tempo. Ia ter jeito de explicar direito pra Tonho o que era frente fria. Contou só um pedaço. De uma terra onde tudo era gelado. Antártica, como a cerveja, ensinou. Lá, a neve era de nunca acabar. Eterna. E o frio imenso. De não dar pra ficar sem quilos de roupa por em cima do corpo. Quanto mais perto desta terra de pinguins, andorinhas gigantes que não sabiam voar, mas frio fazia. O vento gelado subia de lá rumo ao Cerrado. Antes de chegar ao Brasil, frio criava neve que caía como folha de tamarindo. Numa montanha maior do que qualquer dos Gerais. Andes, chamada. Neve branca-branca. Sem peso. Tonho agarrava atenção muita no contar do Coronel. Ismoreceu quando ele decidiu explicar só no mais tarde o como iria ser chegada da frente fria à Fazenda Santo Antônio. Imagem da Antártica ia e vinha na cabeça dele. De novo. Da frente fria de não aguentar nunca.

Fogo, Cerrado!

O Cerrado logo-logo alumiado pelo Sol espantaria temor qualquer. Coronel dispensou Tonho. O menino teimou em ficar. Não queria Coronel sozinho. Vai ver?! Coronel agradeceu. Olhou com olhos de orgulho para o menino. Piscou um olho. Cúmplice. Colocou os braços em cima do ombro dele. Primeira vez na vida. Quis aproveitar para tirar ponto de dúvida: quem eram esses comunistas que queriam matar o Coronel? Carece explicação maior do que frente fria, meu filho. Posso dizer que comunista é como o vento gelado, só que vem da outra ponta do mundo. Das bandas de um país onde o Cerrado era gelado. Sibéria. Lugar que os amigos camaradas do fié-da-mãe do Severino prendiam seus inimigos. E matavam. Olhos de Tonho ficaram arregalados. Querendo entender. Sem! Amanhã, com o fim do acampamento, na paz do Sertão, explico melhor a chegada dos ventos da Sibéria e da Antártica. Um, vermelho. Outro, branco.

Respirou como se quisesse tragar todo o ar do Cerrado de uma vez só. Pegou um Continental. Fumava Luís XV, mas tinha precisão de cigarro mais forte. Dia anunciando nascimento. Horas poucas para Cândido e Dolores começarem o serviço. Noite mais ruim não podia de haver. Precisava recuperar força. Recuperar confiança no poder. Depois do susto maior. Caminhou em direção ao quarto de Madalena. A porta estava aberta. Falou alto para ele mesmo: truco.

Vale seis. Dobro, seus comunistas. Comunistas de merda. Galinhas.

Madalena sentiu a porta abrir de vez. Continuou quietamente deitada de costas. Fingia dormir. Coronel sentou suave na cama. Leve rangido. Começou a passar a mão de pouco calo naquela bunda durinha e arrebitada. Friozinho forte de fim de madrugada no Sertão. Prestou atenção no corpo com cheiro de alegria de Madalena. Ela continuou dormindo de fingimento. Notou Coronel diferente. Primeira vez. Mãos dele passeavam pelo seu corpo. Lembravam as do padre que morou com ela por quase um mês na casa de Marcolina. Padre esquisito de bom. De nome Inocêncio. Gostava de mulher. Não do tanto que Madalena gostava de homem. Comparar podia não. Diziam que ele era frei. Duma tal igreja operária e que estava a caminho do Recife, passando por Pirapora, Montes Claros e Januária. Seguindo o São Francisco até Alagoas. É o que contava pras amigas. Ele gostou no gostar muito da República das Mulheres Livres de Montes Claros. Quis ficar lá no para sempre. Missão divina, mais forte, o chamou. Sem despedir, ganhou o mundo. Rumo a Maceió e Recife. Recado na noite de partir dado. Numa voz de caipira do Sul, frei dizia que as mulheres todas deviam de ter muito dinheiro pra comprar batom, pó-de-arroz, ruge e esmalte pras unhas. Coisas boas de embunitar.

Fogo, Cerrado!

Madalena via o padre em sua memória. Como se de verdade fosse ele estar ali e agora. Coronel tinha, naquele momento, todo o jeito de carinho do frei na hora de. Diferente dos tempos de mandão. Passou mão jeitosa pelo rego dela. Lambeu a bunda. Madalena ficou molhadinha. Antes de ser Coronel, era homem. O que Madalena mais gostava na vida. Aquele não era mais o Coronel que noite antes tentava fazer tudo no apressado. Ela estava bem arrochada. Tesava mais o Coronel. Acorda, vagabunda. Vira esta xoxota pra cá, já que cê num tá querendo abrir atrás. Semducação passou. Desta vez estava bom demais. Coronel sabia de como era o gostar de mulher. Ela espreguiçou de mentira. Virou. Os peitos saltaram oferecidos. Coronel passava uma mão em cada teta. Apertou os bicos. No quase doendo. Aih!, quero muito mais! Os bicos endureceram. Ele lambeu o umbigo dela. E foi descendo no suave. A mulher não aguentou. Agarrou o Coronel com vontade muita mesmo. Fez de tudo. Como havia feito com o frei na casa de Marcolina. Homem é bom. Demais. Nada de igual na Terra.

Coronel raspava no levemente o pinto em suas coxas. Pinto parecia ter vaselina. Untado. Corria liso. Madalena puxou edredom velho emprestado pela patroa. Puxou Coronel também. Frio de doer de vontade. Frio aumentava a gostosura de dormir com homem que conhece segredos todos de mulher. Coronel aprendeu com as francesas. No Rio, primeiro. Em Paris, no depois. Casal debaixo de um cobertor quentinho, quentinho, com a cabeça de fora. Vez que outra, escondia a cabeça pra ela ganhar quentura. Faltava só ficar escutando o barulhinho da chuva no telhado. Vai, Coronel! Por que não foi sempre assim? Quem sabe ia pegar filho desta delícia poderosa do Cerrado.

Ele em cima de Madalena. O contrário. No atravessado. Ofereceu-se toda. Coronel lambia. Gosto de quiabo. No fundo, de jiló. Comida que mais gostava. Menina-fogosa. Nem em Paris tinha igual. Vontade dos dois aumentou. Num crescendo. Corpos grudaram atarraxados. Coronel e Madalena tremeram ao mesmo tempo. Quase num sem parar. Ele deu beijo suave no rosto dela. Feito só de felicidade. Foi pra cama de Sinhazinha. Carecia estar bem acordado quando o dia chegasse. Quando raiasse para receber notícia da morte de Severino. Pra expulsar o povo do acampamento de suas terras. Mulher dele também fingia estar dormindo. Tinha escutado gemeção de gozo muito de Madalena. Coronel ainda guardava resto muito de vontade. Gastou com a mulher. Ela estranhou. Parecia homem outro. Rápido. Mas gostoso. Não ia precisar mais caçar padre Tomás. Para matar vontade de anos muitos. Melhor mesmo que Madalena. Coronel concluiu. Não sabia de sua doçura, mulher! Tempo enorme de grande perdemos. Uma vida, quase.

Coronel estava calmo. Demais. Homem é cascavel perigosa e traiçoeira quando pensa friamente. O lazarento culpado que fazia ele perder as estribeiras deveria de estar pra morrer. Morte de sufoco. Dentro d'água. Com aquela vontade toda de alcançar a vida lá em cima no ar. Sem conseguir. Desespero. Pernas amarradas. Agonia sem-fim. Prazer de Coronel. Pelo menos beberia muito de sua água. Só não ia poder respirar o seu ar. Não mais. Que morresse. Fié-da-puta. Como respirar o ar de uma terra que não era sua? Invasor. Defensor da reforma agrária de padre comuna. Sofre sofrimento sem-fim. Dor mais doída do mundo. Paga seus pecados todos. Ousadia de desafiar fazendeiro. Latifundiário, hein? Respire água. Só água. Abra bem os olhos. Vire assombração pra contar pro seu povo o castigo guardado pra comunista. Chore, que as lágrimas de seu choro vão se misturar com as águas puras do Santo Antônio. Chegar até o São Francisco. Até bem perto de Pernambuco, sua terra. Pense todos os pensamentos que sua cabeça suja pode pensar antes da morte para sempre.

Nêgo Dolores ouviu, no sem querer, o tiro e a confusão na casa do Coronel. Pressentiu ida de Tonho até a represa. Os passos de Pedrão de volta da caçada ao jacaré de papo amarelo. Indo rumo ao rio. Ouviu com ponta de vontade o barulho gostoso que Coronel fazia com Madalena. Nêgo era meio esquisito. Dava muita importância não para mulher. Ninguém sabia caso dele. Não bulia com roceira. Com esforço próprio, ajuda de Sinhá Maura e apoio da Mãe virou instruído. Até ginásio. Começou colégio. Sabia muito. Um quase doutor. Só não deixava ninguém conhecer que era estudado. Debaixo da cama, no fundo, escondido, Nêgo tinha uns livros. Lia com luz de lamparina. Fazia anotações numa caderneta de capa escura. Deixou ninguém ver nunca não. Dolores ficou acordado. Tentou ler. Não prestava atenção no escrito. Cumprida a sentença de morte, poderia dormir e ler no demais. Aproveitou tempo, antes do amanhecer de tudo, para treinar a morte do comunista Severino.

Caminhou no caminhar de onça de metro e meio até a casa de Severino. Queria matar Corisco. Deveria de morrer antes. Para não dar aviso. E para ver se plano tinha alguma chance de gorar na última hora. Cachorro de comunista, comunista era. O cão ladino, afilhado do cão-demônio, ouviu o Nêgo chegar no de mansinho. Mas tempo não teve nem de latir pra avisar. Faca afiada cortou a goela dele cachorro-homem. Escapou de morrer empastelado no asfalto da Rio-Brasília. Não escapou do ataque-surpresa do Nêgo Dolores. O Cerrado é perigoso. Mais ainda bicho-homem morador.

Nêgo pensou na pantera-negra. Na suçuarana. Parecia onça pintada de preto. Sentiu que carregava no fundo de sua alma a pantera preta. Pantera pensadeira que nem gente. Diferença era nenhuma. Colocou o morto cachorro Corisco no ombro. Dentro de saco de linhagem. Sangue do bicho comunista marcava trilha na terra vermelha areada do Cerrado. Levou o corpo até o poço do Santo

Fogo, Cerrado!

Antônio. Abriu o bucho dele. Botou dentro uns tijolos que o povo usava pra sentar a bunda na hora de pescar. Jogou bicho cachorro comunista no fundo. Sangue quente de gente-cão avermelhou a água branca e pura do rio. Festa de piranhas. Jogou as tripas. Alegria do peixe perigoso como cobra-coral aumentou ainda mais.

XIX

Nego voltou para o rancho. Depois de matar Corisco.
Calculou hora e meia para o raiar do dia. Tinha relógio
de bolso. De ouro puro. Presente deixado por Dom
Xavier. Pensou no que fazia João, Zefina, os meninos,
Coronel, Madalena e Severino. O vaqueiro estava acor-
dado. Tonho foi para o rancho. Por ordem do Coronel.
Pelas dúvidas. João Cândido fingiu ir embora. Foi não.
Madalena era o motivo. Viu pelo buraco da fechadura
Coronel e Madalena juntos. Vontade dele cresceu tam-
bém. Não conhecia o gosto bom de ver os outros na
hora de. Primeira vez. Quando Coronel terminasse, a
vez era dele. Antes de cumprir missão, chamaria
Madalena num sussurro. Sabia que ela queria muito ter
o vaqueiro. Cândido pegou susto quando Madalena

escapuliu pela janela do quarto. Fez no de propósito. Certeza. Coberta com edredom. Nada por baixo. Correndo Cerrado adentro. Ele atrás. Caçada ia de aumentar a vontade guardada dos dois.

Olhos que falam de Zefina estavam no bem abertos. Sozinha na cama. Sem seu homem. Olhos pensavam. Iam de um lado para outro. Para cima e para baixo. Ela não combinava com as mulheres do povo do acampamento. Falavam em ficar nos Gerais eternamente. Em Severino. Em ganhar um pedaço de terra de graça. Trazer os parentes. Eram de um país diferente. Sem chuva. Seco. Causa disso não havia jeito de chegar a entendimento. Um povo tinha que viver. Tinha que ser o dela, Zefina. Gente tem sempre que saber quem é amigo e inimigo. Olhos é que informavam. João e Dolores não podiam cometer besteira. Na chegada do povo do acampamento ela pensou que iam de ser amigos. Fingimento puro. Queriam era enganar os povos da roça e da carvoaria. Juntar todos contra o marido dela, seus meninos, Dolores e Coronel. Vida no Cerrado ensinou que o que mais carecia era defender a família, a tapera e a comida. E ter cuidado demais com o falar das pessoas.

Tonho e Zinho também estavam acordados. Pensavam no risco que pai ia correr. Não queriam ser meninos sem pai. Era triste. Demais. Queriam ter

FOGO, CERRADO!

prova de que ele sairia vivo. Que Severino estaria morto. Tonho contou para o irmão que nos gibis sempre aparecia detetive xerife. Buscava bandidos. Para enforcar. Povo do acampamento, sabendo dos planos de morte, podia pendurar o pai e Nêgo Dolores na paineira. Eles também não conseguiram se juntar aos meninos outros do acampamento. Eram que nem papagaio. Repetiam o que pais deles ensinavam. Brincadeiras, danças e rezas de lugar distante dos Gerais. Inventavam muitas histórias. Não dava para saber se verdadeiras eram. Os dois desconheciam o Nordeste lá deles. Quando um menino não entende outro, briga pra valer. Pode até terminar em morte. Cada um tem sua verdade. Povo jagunço e povo do acampamento eram que nem menino. Briga de gente grande. Tonho e Zinho acreditavam sem pestanejar no Coronel. Os filhos do acampamento, em Severino. Gente grande dava as ordens. Obediência era dever. De um e de outro lado.

Os meninos ouviram mãe resmungar. Devia de estar pensando também. Gostavam dela. Do jeito deles de gostar. Sabiam que Zefina ia de querer saber se Severino morreu de verdade. Ela só acreditava nas coisas vendo. Mãe, pessoa esquisita. Não era curandeira como Sá Joana. A que parecia ver as coisas antes de acontecerem. Mas de dentro dela saía sinal de perigo. Quando havia. Vivia desconfiada. Prevenida. Era que nem bicho do Cerrado. Comia no apressado. Para não ser comido. Dúvida tomou conta de Tonho outra vez. Aquele povo do acampamento não tinha treinamento para viver no Cerrado. Era como mudar peixe do mar para o rio. Certo não ia de viver. De rio também. Na água com sal. Mesmo vale para jeito de falar. Cada menino aprende com pai e mãe palavreado próprio deles. Serventia tem só nas suas terras de nascença. Próprias. Implicância da família do vaqueiro crescia que nem juá.

Coronel e a mulher dele contavam os minutos com pensamento. Bem despertos estavam. Conversavam na cama. Longamente. Como nos tempos em que os meninos eram pequenos. Era lugar de tomar decisão. Qual escola? Onde botar os cobres? Viagem para outro país. Doença do pai de um e da mãe de outro. Perigos da vida. Ia para mais de quinze anos que não proseavam mais no quarto escuro. Com silêncios valiosos. Para evitar erros bobos. Falaram da morte necessária de Severino. Se vivesse não teriam mais terra. Nem dinheiro para acabar de criar os filhos na capital. Vestir e comer. Combinaram de ir comprovar se João e Dolores iam conseguir matar o comunista Severino.

Severino seguia vida no normal do povo dele. O forró tardou para terminar. Saiu no depois com Maria

Sarará, prima chegada do Recife. Matou os desejos dele de homem. Sempre quis ter a prima. Ela era de Alagoas. Parecia índio com nariz fino. Delicado. Cor de jambo. Olhos de pura vontade de. Oportunidade foi visita dela ao acampamento. Veio para passar semana. Jeito nenhum havia de aceitar convite do primo. Tinha noivo firme em Maceió. Casamento marcado. Era tratorista. No canavial. Por isso, negaceava pedido insistente dele. Que nem vaca brava. Jeito dela de tesar seus homens todos.

Demorou mês e meio para se entregar. Com gosto. Chamava Severino de galo garnisé. Severino gostava de dormir no sempre na rede. Se acostumou. Nas andanças pelo Sertão. Maria Sarará ficava meio desajeitada. Não encontrava posição certa para sentir prazer maior. Ele ia ensinando o como. Adiantou nada. Dôda, vendo situação do irmão, propôs troca. Por um tempo. Semana sim, semana não, Dôda dormiria na rede do quarto para Severino ficar com a prima na cama. Não se importava não com barulheira. Com fungar pesado. Prima Sarará estava de partida. No amanhã ou no depois. Voltaria para a cama. Também não gostava de dormir em rede.

Severino levou Maria Sarará para o quarto depois de terminar o forró naquele sábado. Irmão dormia na rede sono profundo. Bebeu pinga muita. Dançou xaxado até passado da meia-noite. Decidiu não atrapalhar sono dele. Sentiu falta de Corisco. Não deu importância. Também, vontade tanta. A prima ali. Novinha. Aqueles cabelos diferentes. Os olhos esverdeados. O jeito de mover as cadeiras. Cara de pura sem-vergonhice. Para completar, segredou no ouvido: minha última vez, primo. Vou-me de volta no amanhã. Severino não poderia perder a derradeira oportunidade. Jeito nenhum de aguentar. Pegou lona de caminhão para estender no chão. Por conta de frio de incomodar. E necessidade de maciez na hora de. Levou Maria para perto de forno de carvoeiro. Achou um aberto. Carvão retirado recente. Pó muito. Quentura boa.

Do alto do morro, na porta do forno, viu resto de fogueira fazer uma sombra na frente do rancho do Nêgo Dolores. No mais longe um pouco, luz de lamparina piscava que nem vaga-lume nas janelas da Casa-grande. Escutou tiro. Caçador devia de ser. Na represa. Por que aquele povo estava acordado, questionou. Achou esquisito barulho de trator. Demolição das casas dos engenheiros. As que ele tanto queria para seu povo sofrido. Maria Sarará mostrou ser aluna boa demais. A despedida foi um sem parar nunca. Primeira vez. Segunda. Tempo de descanso. Terceira. Severino contou no ouvido dela que máximo dele

Fogo, Cerrado!

foi cinco. Hoje será mais. E foram. Sete! Severino esqueceu Madalena. Coronel. E o passar das horas. Já era de manhã quase.

XX

Madalena ouviu parte de conversa longa do Coronel com Sinhazinha. Aproveitou o entretido deles para se levantar e escapar pela janela. Corpo moreno saiu de dentro do edredom. Tronco sem a tortice das árvores dos Sertões Gerais. Mais bonito, sem comparação haver, do que o de qualquer flor de árvore do Cerrado. Mais mesmo que ipê. Cada curva no lugar certinho. Como podia? Jovem, envolvido pelo cheiro de sempre na hora de depois de banhar. João Cândido, sentado em cima dos calcanhares, viu quando a mulher pulou a janela da Casa-grande e foi, com passos leves para evitar barulho de chamar atenção, na direção do rio. Hoje é o dia. Pisar suave. De tão, quase sem tocar o orvalho do capim rasteiro. Tomou rumo do poço. Pulou do alto do barranco. De pé. Tocou, no fundo, em ponta de pau. Flutuou nas águas do Santo Antônio. Nadou, nua de tudo. Nem se importava com frio da água.

Balanço de dengo tinha Madalena. Jeito de África. Peitos altos. Pontudos. Combinando com a bunda arrebitada. Cobiça geral do Cerrado. Peitos que o Coronel soube apreciar. Uma vez, pelo menos. Sol mostrou primeiro raio. A água do poço estava avermelhada. Ela nem notou. Sentiu ponta de gosto de sangue. Pensou que o Coronel havia feito arranhão na hora que gozou com vontade de touro. Monarca. Madalena sabia que João Cândido estava atrás dela. Tesava mais o vaqueiro. Outro homem, na mesma noite, não poderia querer nunca nada igual de bom. Só de ver tanta formosura na água, pinto do vaqueiro empinou. Arrupiou. Gostosura dolorosa. De boa! De profundezas. João seguiu, com passos de raposa, a mulher. Lembrou-se do sonho no curral. Do rela-rela no dia da vaca Baixinha parir. Dela com Coronel no agora há pouco. Deitou no chão frio e molhado na beira do barranco. Deixou só os olhos de fora. Espiando a mulher mais bonita fabricada no mundo todo.

Madalena dobrou os braços longos e tampou os ombros e os peitos com as mãos de dedos finos e delicados. No nadar era ainda maior a buniteza. Assuntou a água mais profunda do poço num mergulho de passarinho comedor de lambari. Viu montão de piranha agitada. Água morninha. Haveria mesmo era de estar fria. Deixou o corpo aproveitar a água quente e avermelhada. Depois,

FOGO, CERRADO!

flutuou como gostava de fazer sempre. Boiar. Restança de correnteza que roçava o barranco brincou com o corpo dela. Redemoinho no poço. Jogou a água pra cima pra ver cair como chuva. Sol a nascer. Fez ponta de arco-íris. Nadou até o raso. Pegou pedra colorida. Procurou diamante que nem garimpeiro. Dobrando o corpo sem agachar. Para vaqueiro admirar delícia tanta escondida na floresta negra. Areia feriu seus braços. E pernas.

Nadou de volta ao poço agora de águas mais rosadas. Águas que sempre foram limpas nos dias sem chuva. E aquele vermelho suave, virando quase rosa? E aquela quentura gostosa? Ficou ali pensando no corpo só de músculos de João. Ia dormir com ele ali dentro d'água mesmo. Diferente. Bom igual. Ou melhor, quem sabe? Depois, iria embora. Coronel amoleceu segurança. Parecia outro homem. Devia de estar pressentindo algo. Dormiu com ela como se despedida fosse. Coisa boa demais. Iria conhecer outros homens. Tinha tomado decisão: dormir com todos aqueles que conseguisse para, depois, voltar ao Cerrado. Casar com Tonho. Meu menino. Se fogo dele fosse de não apagar até aceitaria Mariquinha de segunda. Filho do vaqueiro Cândido e futuro dos Gerais. Dela, também.

Resto de Lua. Bicharada já dava sinal de vida. O bicho-homem só espreitava. João Cândido não aguentou mais. Pulou pulo de dourado na correnteza do rio. Deixou que a água o levasse para o poço. Madalena fingiu susto grande. Oh! Sabia que o vaqueiro estava ali. Nadava para se mostrar. Para o prazer dele. Para o tesão dele. Riu riso de alegria. E de vontade muita de mulher por homem. Hora de ter o vaqueiro todo seu. Deixou João chegar perto. E mergulhou. Era como ariranha na queda da cachoeira. Pegando peixe que brigava para vencer força das águas e da altura. Morrendo para botar ovos na nascente do Santo Antônio. Fim de madrugada. João agarrou a mulher dentro d'água. Aconteceu primeira tremeção. Seguida de muitas e muitas. Acabar antes de morrer. João contou o sonho do curral. Deu vontade de outra vez em Madalena. Vaqueiro ria. Pela segunda vez na vida. Ou terceira. Nascer do Sol deu tristeza neles. João tinha dever a cumprir. Madalena queria mais.

Ela correu para a Casa-grande. Entrou no quarto. Abriu o baú. Tirou vestido branco com bolinhas vermelhas. Vestiu. Cinco da manhã. Começou corrida pela trilha de bois do outro lado do rio. Só parou no chegar à ponte do Santo Antônio. Rodovia vazia. O piche do asfalto ainda fedia a novo. Olhou para o rio com seus olhos pretos cheios de água. Debruçou na beira. Gota salgada juntou-se às águas fartas. Ela deixou aquela cachoeirinha de pingos ir caindo. Olhou com olhar demorado o rio de águas claras, como se despedida fosse. Santo Antônio representava para ela os homens todos que teve naquela parte dos Gerais. Parte onde vivia seu povo. Caminhou pelo acostamento. De costas pra poder

FOGO, CERRADO!

ver o rio até ele desaparecer. Ouviu o ruído de caminhão acabando de subir o morro. Apressou o passo. Precisava dar sinal, antes do motorista botar na banguela.

Olhadela, com olhos molhados, para o Cerrado. Ouviu cantar de sabiá. De bem-te-vi. Bem te vi! Lá embaixo, perto de seu poço. No lugar que tinha ficado com vaqueiro na felicidade muita, pareceu ver duas sombras. Uma, mais escura. Outra, clara. Estava muito longe para saber direito identidade. Uma das sombras levava o que parecia uma espingarda. Madalena começou a correr. Queria os Gerais, o Cerrado sem veredas. Tristeza de morrer. Num ia aguentar a guerra dos povos. Ver a morte de seus homens. De Tonho. Ele, homem de 13 anos. Ela, mulher de 18 perto dos 19. Barulho do motor do FNM chegou ao alto do morro. Luz ainda acesa. Nem sentia dor ao pisar pedras cortantes do acostamento. Brita. Apostava corrida com o caminhão pra ver quem chegava primeiro bem no alto do morro. Chegaram quase que juntos. Antes da descida para a ponte do Santo Antônio. Ela deu sinal. Medo de olhar de novo para seu Santo Antônio e ter tentação de voltar. Tomou coragem para fugir de vez. Sorriu com seu sorriso mais cativante. Para agradar o motorista.

O homem parou o caminhão de carga. Abriu a janela. Uma cara negra, mais preta do que noite sem Lua no Sertão, apareceu. Viu Madalena fazendo sinal pra ele parar. Naquele lugar, na baixada, haveria de haver um rio. No rio, um poço. E Iemanjá veio buscá-lo. Rainha das Águas queria ir com ele pras profundezas das águas. Ia morrer no mar do Sertão dos Gerais e não no mar de sua terra, Bahia. Caminhão parou bem ao lado da mulher. Virgem das águas. De branco vestia. E aquelas bolinhas vermelhas? Iemanjá do Sertão devia de ser diferente da do mar. Madalena não disse uma palavra. Não pediu licença pra entrar. Abriu a porta e sentou-se ao lado dele na boleia. Negro jovem assustou. Me chamo Zé Carlindo. Filho de santo apelou para seu protetor. A voz de Iemanjá foi resposta única. Me leva? Pra onde? Com você. Pra que lugar? Pra lugar nenhum. Pelo mundo. Agora? Já, pra dar tempo de passear por tudo quanto é terra. Não tenho a quem prestar contas. Trabalho. Vou ser ajudante de caminhão. Dou mão em tudo. Vamos viajar juntos.

O caminhão começou a descer lentamente o morro. Freio de mão puxado. Motor em ponto morto. Parou bem de atravessado em cima da ponte do Santo Antônio. Entalou. Ninguém poderia mais cruzar de um lado para o outro. Zé Carlindo ouvia voz de canto. Será que já estou morto? Dormi no volante? A mulher deusa levou-o para os fundos de um dos poços daquele rio que passava debaixo da ponte? Janaína. Já que estava morto, não custava avançar sinal. Passou, suavemente, as costas dos dedos no rosto da mulher. Sentiu os cabelos dos braços dela arrupiarem. Olhou no espelho retrovisor. Viu a própria cara: metade assustada e metade assanhada. Resistir não haveria mais como. Ninguém resiste ao chamado da Rainha das Águas. O caminhão, no meio da ponte, balançava. Madalena viu, pela janela, João Cândido e Dolores passarem pela beira do poço. Parecia que levavam um saco de linhagem. Dentro, alguma coisa balançava, como um porco. Cinco e meia da madrugada para mais. O Cerrado era todo vida naquela hora de despertar.

XXI

João Cândido voltou, com roupa ainda pingando água do poço, para o rancho de Dolores. Cara de contente fez Nêgo questionar. O vaqueiro deu resposta nenhuma. Tá na hora de cumprir as ordens do Coronel. Nêgo virou de costas. Escondeu papel que lia debaixo da cama. Diferente da de João, a dele tinha estrado e um colchão de mola. Macio. Butina calçada. Arregaçou mangas da camisa. Rancho estava frio. Fogão de lenha aceso. Para esquentar. Calou sobre a morte do cachorro Corisco. Nem contou de Madalena na boleia do basculante. Mulher estava na rodovia e quase que viu quando levava Corisco para o poço. Acompanhou corrida até o alto do morro. Deu de mão. Caminhão parou. Se Nêgo contasse para João Cândido, vaqueiro era do mais capaz de largar ordem do Coronel. Caçar Madalena ia de ser mais importante. Nêgo sabia que o jagunço era doido varrido por mulher de Montes Claros. Não sabia que eles tinham acabado de realizar sonho de ficarem juntos no prazer maior. Sonhos longos de dormir com ela entre paineiras.

Andaram sem barulho algum fazer até o acampamento. Passos largos e vagarosos de João tomaram pressa. No Cerrado Gerais, eles, homens jagunços, eram como as onças-pintadas, como as cascavéis prontas para dar o bote, como os escorpiões cinzentos com suas ferroadas de morte. Jararaca prestes a dar o bote e matar filhote de rato. Jaguatirica comedora de gambá. Homens juntavam a fome de vida dos bichos todos. Precisavam dela pra matar um comunista. Caminhavam sem nem quebrar um graveto. Perto da casa de Severino, amaciaram o passo. Ainda mais. Um pouco. Empurraram a janela de levinho. Tava destramelada. Saltaram pra dentro como gatos. Pularam no imediato pra cima da rede, lugar de onde vinha ronco. Cândido enfiou os trapos da regra da nega Zefina na boca do comunistinha que ousou um dia desafiar o Coronel. Era um espernear sem-fim. Misturança de pés, mãos e braços.

Vaqueiro-jagunço agarrou Severino como se segura novilho bravo. Usou força toda. Querendo ser touro? Pior. Enfiou o saco de linhagem na cabeça dele. Troncudim forte desgraçado! O barulho no quarto se misturava com o despertar do Cerrado. Era pouco. Hora do vaqueiro começar a tirar leite. As vacas iam sentir falta dele. Ficariam inquietas, escondendo leite. Matar logo o homem comunista da Reforma Agrária. Botou pressa em Dolores. Os

Fogo, Cerrado!

dois usaram a rede pra amarrar bem Severino. Nêgo arfava. Palheiro de fumo preto colocado de banda na boca, caído, meio desleixado, preso nos dentes brancos.

Cândido amarrou a rede. Pegou as pontas da boca do saco de linhagem, botou Severino dentro, deu nó. O líder da Reforma Agrária gemia, lá dentro, todo retorcido que nem porco. Pedir socorro não podia. Boca cheia dos trapos de Zefina. Dolores pegou do outro lado da rede. Enfiaram galho de aroeira deixado encostado de fora da janela numa ponta e na outra da rede. Botaram no ombro. Corpo do comunistinha cambaleava dum lado para outro, sem nexo. Resmungava coisas que os homens do Coronel não entendiam. Como um bêbado. Carregaram aquela trouxa pesada com homem-animal dentro. Grunhidos.

Na beirada do rio, pegaram trilha que dava no poço onde vida de troncudim comunista ia de acabar. Para sempre. Líder do povo do acampamento? Não mais! Era o que os seus diziam. Sem cabeça pensante, num tem revolução que aguente um dia. É que nem cortar o pescoço de frango. O corpo fica ali pulando sem direção nem serventia. Sangue esguichando. Vida esvaindo. Severino morto era povo morto. Apressa, sô. Cadê a Filobé? Táqui. Taca fogo. Os capangas, na pressa deles de acabar com o trabalho, esqueceram ordem do Coronel de jogar o homem vivo dentro do poço. Provocar sofrimento profundo em Severino.

Taca fogo logo, Dolores. Vamu, Dolor. Dolor, na paciência lá dele, tentava acender o resto do palheiro. Jeito de esquecer e não sentir o cheiro da pólvora da cartucheira. Demora muita é besteira. Atraso de vida. Porteira fechada. Mata-burro de homem. No tranquilo. Dolores apontou para o porco-homem, pra onde devia de estar a cabeça. Primeiro tiro. De chumbo grosso. O barranco do rio e o barulho de correnteza abafaram o estrondo da arma. Nêgo não queria chamar atenção.

João Cândido tirou da bainha o facão afiado e começou a golpear o saco humano. No primeiro corte, aquele corpo ainda deu tremeção forte. Que nem cobra venenosa. Coral. Este Severino defunto era uma coral. Pequena, enganosa, cheia de cores e de matar gente muita. Revolução esta dele devia de ser assim. Colorida e enganosa. Que aceitasse de morrer logo. Golpes serenos. Firmes. Tremeção do corpo parecia não querer parar. João era como um do povo carvoeiro rachando lenha. Humana. Desta vez. Facão-machado. O que mata as árvores do Cerrado para povo pintado de preto-carvão, vindo das margens da capital, pudesse ganhar cobres poucos do Coronel pelos metros cúbicos de árvores derrubadas.

Povo da carvoaria. Homens sujos de preto que passavam o dia que nem formiga saúva cortando tudo o que viam pela frente. Se não fosse o povo da roça, o machado acabava com os pés de quinino, de pequi, de ipê-roxo. De tudo o que é bom pra curar o corpo. Sá Joana não ia de ter mais raiz, flor e folha pra preparar os remédios dela. Povo carvoeiro tinha uma certa parecença com o povo do acampamento. Eles

Fogo, Cerrado!

não eram dos Gerais. Não conheciam as veredas, os buritis, os bagres e os piaus. Não queriam ficar ali no pra sempre. Tinham que buscar cerrado vivo. Derrubar árvore. Ganhar dinheiro. Coronel queria manter o povo carvoeiro na Fazenda Santo Antônio. Carvão dava mais dinheiro. E ele pagava sete mil réis o metro. Bagatela. Coronel aturava mesmo de jeito nenhum, nem mesmo morto, era o povo do acampamento, que dinheiro nenhum dava. Só serventia tinha para esquentar a cabeça. Dos outros. Essa, a desavença.

O sangue borrava tudo. Dolores pegou a canga de boi. Amarrou a rede com o saco na canga, pendurou com pedaços de fio de arame as duas pedras pesadas de cada lado. Sangue gotejava. Forte. Os jagunços jogaram dentro do rio a trouxa, que parecia ainda ter vida dentro. Água vermelha. Depois, rosada. Dolores lembrou da parecença com as águas tingidas pelo sangue do Corisco. Comunistas os dois. O cachorro e o homem. Vaqueiro João Cândido, treinado em matar sem deixar marca, assuntou Dolores sobre precisão de voltar mais tarde. Para conferir morte. Piranha faz o serviço e voltamos para pegar o esqueleto. Dar fim nele. Povo todo da sede toma banho aqui. Menino mergulha. Melhor deixar marca não. Dolores entendeu. Acordaram de levar, à noite, os restos do comunista para queimar num dos fornos de Zécarvoeiro.

Varapau, o Zécarvoeiro. Branquicelo, como Cândido. Vivia com a cara e a roupa pintadas de preto. Deitava e acordava assim. Nunca tomava banho. Tamanho dificultava entrada pela boca do forno para botar lenha cortada do Cerrado. Só perdoava um que outro pé de pequi. Se é que! Inimigo das árvores dos Gerais. Deviam de tremer quando ele aparecia com sua tropa. Formigas cabeçudas. Das pretas. Das grandes. Filhos é que entravam nos fornos. Empilhavam lenha. Zécarvoeiro punha fogo e deixava os pés de árvore ali cozinhando no abafado.

Houve vez que João Cândido deu permissão para Tonho e Zinho cortarem lenha. Receberam setenta e sete mil réis. Vaqueiro, com precisão de dinheiro para comprar agrado para Madalena, fez amizade com o chefe da carvoaria. Cândido virou protetor do povo carvoeiro nas disputas contra povo do acampamento e povo garimpeiro. Compadre de Zécarvoeiro. No Cerrado, bandos prolongavam vida. Povo roceiro, povo jagunço, povo carvoeiro, povo escolhido e donos dos povos de um lado. Povo do acampamento e povo garimpeiro, do outro.

Nêgo pediu a Cândido para passar no de tarde para acerto com Zécarvoeiro: abriria o forno, enfiariam os ossos já pelados pelas piranhas para cozinhar. Como se lenha fosse. Brasas acabariam com o serviço. Resto do comunista seria só um punhado, um tico. Tico de mão de cinza espalhada no chão do forno. Cândido sabia necessidade de não deixar rastro. Experiência muita. Nêgo, ainda mais precavido, passou no rancho do compadre Firmino pra pegar um leitão. Botou o bicho no saco. Era só pra tapear quem tinha visto eles carregando Severino. Ninguém viu?! No jagunceio

FOGO, CERRADO!

de morte carece ser cuidadoso. Aquele caminhão FNM estava parado lá na ponte. Bem no meio. Donde dava pra ver o acampamento, a beira do rio e o poço.

João prestou atenção na ponte. Caminhão parado, num balanceio. Percebeu coisa parecida com roupa de mulher. Na boleia. Caminhoneiro com uma das mulheres do bar do turco Nagib. Deve de ser. Mercês seria. Filha de Bentinho sabia demais fazer felicidade de caminhoneiro. Só com a boca. Nem bem entrava na boleia e já procurava a braguia. Enchia a mão com pinto e bagos. Apertava no de leve forte. Pinto explodia. De vontade. De saudade tanta de. Língua de Mercês preço nenhum pagava. Rodava roçando quase sem tocar. Suave e delicado. Vezes muitas caminhoneiro não passava do começar. Havia jeito não de segurar. Perdia o melhor. O depois. Sem estouvamento fazia prazer crescer num sem parar nunca. Quem conhecia de antemão segurava hora de. João Cândido conhecia. Bastante bem. Por isso, boleia de caminhão tremia daquela maneira. Por isso, ficou de atravessado na ponte. Sentido fazia não estar parado de atravessado bem no meio da ponte. Era dia de passar comitiva de carros para a festa de inaugurar Brasília. Não ia dar certo. Estrada entupiria. Prestou atenção no caminhão. Ir lá para ver era bom. Mas queria não mais confusão. Deve de ter quebrado. Furado pneu. Na boleia, motorista parecia buscar ferramenta debaixo do banco. Roupa branca com bolinhas vermelhas de mulher, também.

XXII

Depois que Dolores botou o leitão no chiqueiro do quintal do rancho, seguiu com Cândido pra mais um dia de trabalho. Os dois jagunços voltaram no tranquilo pras coisas de todo o dia. Cândido, direto para o curral. Não aguentava mais o berreiro de vaca e bezerro. Dolores, no logo depois, para o roçado. Mandar limpar plantação de milho logo. Coronel estava apressando. Aquele roçado era o dele. Sem meeiros. Dolores cuidava. Entrou no rancho só pra um gole de café quente. Aproveitou para acender o fogão de lenha. Brasas ainda queimavam debaixo das cinzas da fogueira. Encheu a cabaça de água. Matula pouca no embornal. Jogou nas costas, selou e montou na mula para andar uma légua. Morte no poço do rio era coisa esquecida. Acontecida no ano passado ou no dia que não havia sido parido ainda. Longe no tempo. Severino. Que Severino?

Mimosa, vem, vem, vem. Mocha, vem, vem, vem. João Cândido chegou no curral já gritando o nome das vacas e dos bezerros. Filho macho ou fêmea tinha nome igual ao da mãe. Acabava de amanhecer, hora passada de tirar o leite. Assustou. Vacas e bezerros não estavam apartados como deviam de estar. Bezerros sumiram. E havia aquele buraco grandioso debaixo da cerca. Parecia mais que tatu gigante havia passado por ali. Cavado e cavado, por baixo da porteira. Dava pra passar um homem, um bezerro ou garrote. Aquilo num era coisa feita por mão de gente. Tirou o palheiro grudado atrás da orelha. Guardou de novo. Matutar não fazia falta. Melhor ver de perto.

Entrou no pastim. Procurou por bosta recente de bezerro. Avistou seus animais. As vacas, vendo o vaqueiro-jagunço, ficaram no de repente tranquilas. Os bezerros escapados tinham já mamado. Rabos levantados de satisfeitos estavam. Elas, lambendo o mijo deles. Cheirando. Fazendo aquele reguinho com o nariz para ver a idade certa do filho. Saber se tinha doença alguma. Ou se era chegada a hora do desmame. Cara delas era de gozo. Catita mostrou aqueles dentões, com o nariz franzido, para Cândido. As outras, até Mimosa, sua preferida, tinham um jeito estranho de mofar dele.

Os pés dos bezerros estavam vermelhos. Sujos da terra dos Gerais. Tinham passado por baixo da porteira. Conseguiram. Levou animais de volta para o curral. Apartar. De novo. Na marra. Mães e filhos. Cândido

FOGO, CERRADO!

pegou o furor lá dele. Pior do que o que atacava Nêgo Dolores. Vez por ano. Raiva subia do dedão do pé até os braços e a cabeça. Grudou o ferrão. O mais comprido. O de tocar carro de boi. E começou a espetar com a força toda dele vacas e bezerros. O Cerrado estava esquisito. Cheio de desobediências. Já não bastavam os comunistas? Bicho manso agora também queria fugir do normal? Vai ver pegaram doença de Severino. Bezerro ia voltar à força pelo buraco cavado na terra. Apertava o ferrão. Com força tamanha que furava o couro da criação.

Buscava a cacunda das vacas e dos garrotes. Fincava a vara. Acertava um berne. Dos grandes. O pus voava pra cara dele. Amarelado. Fedorento. Enfezou de vez. Ia matar agora era berne. Acuava as vacas no canto do curral. Ponta de ferro, na forma de pirâmide, rasgava a pele onde bernes estavam enfurnados. Enfiava e rodava o ferro lá dentro. Pus saía cuspido por tudo quanto é canto. Misturava com bosta enlameada. João Cândido, já molhado de suor do picar corpo de Severino, se breiou todo. Berne tirado à força, com fúria, pagava ousadia de quebrar a ordem do curral.

Cândido parou de repente maldade tanta. Descobriu. Buraco havia sido feito pelos tratoristas do acampamento. No antes de ir embora de vez. Pura traquinagem com o capataz. Maldade. Por isso, ouviu barulho à noite. Fié-das-unhas. Amaldiçoados. Não iam nem receber o troco. Tinham já saído para Belo Horizonte junto com os engenheiros. Cândido teve vontade muita de matar os tratoristas. Raiva iria estourar no depois.

Mané Bentinho, que estava chegando à sede da Fazenda Santo Antônio para comprar macarrão na casa do Coronel, contou aos amigos, muito no depois, que viu vaca sair zunindo numa fuzueira toda. Outras entravam pra dentro da capoeirinha rasgando o corpo já todo ensanguentado. Contou que viu João Cândido correndo de um lado para outro, com o corpo coberto por um leite gosmento e amarelado. Que nem leite de vaca parida de novo. Só que fedor chegava aonde estava. De onde ficou assuntando, precavido. Num chegou perto pra conferir. Estouro de boiada mata. Vaqueiro--jagunço doido, pior ainda. Era homem de coragem, mas as vacas podiam passar que nem manada brava por cima dele. Ou Cândido tomar decisão de fincar o ferrão nele. Bem no coração.

Fez apressar o passo pra chegar logo na Casa-grande. Ali, guardou silêncio. Só contou para amigos no muito mais tarde. Coronel podia estar de mau ânimo. E não ia gostar da história. Invencionice. Invencionice de quem num tem o que fazer. Vai pra capina, vagabundo. Bentinho estranhou, quando chegou à sede, presença de Tonho. Armado com cartucheira. Cedo demais para menino estar acordado. Explicou que queria mandar a mulher dele fazer macarronada de domingo para a filha Mercês. Comida preferida dela. Tonho sabia do caso entre pai e filha. Se importava não. Bichos todos não prestavam atenção no com quem estavam fazendo filho novo. Se primo, irmão, pai ou filho. Foi buscar pacote de macarrão número cinco.

João estava ensopado e fedido quando conseguiu levar a paz de volta ao curral. Teve que voltar até o pastinho. Ter outra conversa longa de explicação com suas vacas. Pedir desculpas. De verdade. Humildemente. Tinha nervoso de morte na cacunda. Chamar cada uma pelo nome. Tempo levou pra botar todas de volta na trilha do curral. Vaca esquece de malvadeza. Num instante. Jogou as duas cordas de piar no ombro. Agarrou o balde de cima do mourão. Começou tudo como se tivesse chegado naquela hora. Animal foi feito pra obedecer jagunço. Mas não carecia judiar dele. Tinha que ser muito duro na desobediência. Usar ferrão e chicote. Perder a carinheza com os animais é que não valia a pena não. Assim como homem no Cerrado foi feito para obedecer a ordens de coronéis dos Gerais, Chefe Maior da boiada era vaqueiro. De profissão.

Bezerro, já mamado de antes, berrava no de costume. O vaqueiro chamou primeiro a Mocha. Vem, vem, vem. Mocha, Mocha, Mocha. Vaca mansa que nem a defunta Baixinha. Sem chifre. Feiinha. Meio esverdeada. Curraleira. Costelas todas aparecendo. Ficou assim, porque os filhos também abusavam dela. Tinha boi velho, na safadeza, ainda mamando nas tetas chupadas por outros cinco filhos. Um, já novilho. Erado. Mamava com gosto. Mesmo sem desmamar a filharada, ainda sobravam três litros todo o dia para o Coronel. João Cândido piava, e ela dava uma mijada larga. Soltando o leite.

Cândido bateu no pescoço da Mocha. Vaca negaceou a cabeça. Aceitando as desculpas. De novo. Vaqueiro segredou no ouvido dela uma história de morte acontecida no antes agora. A de Severino. Em seguida, limpou uma teta e apertou para ver se leite tinha descido mesmo. Espirrou aquele jato quente, gostoso de ouvir tocando o fundo do balde. Afastou a cabeça do garrote, que continuava disputando o leite com Cândido. Amarrou o focinho dele na pata da frente da Mocha. O segundo jato de leite tinha cor avermelhada. Cândido saiu de seu normal. Vermelho-rosa só podia ser de vaca parida recente. Olhou em direção ao pasto. Ao longe viu os urubus a voltear. Mocha parida outra vez? Deixou cria no pasto para poder ir pro curral, cuidar do filho velho. Doida mesmo! A esta hora urubu deveria estar bicando o umbigo da nova cria. Dia mais do complicado. Obrigação do vaqueiro era a de pegar o cavalo e trazer bezerro. Adiou.

Que se protegesse. No Cerrado um deve nascer pronto pra brigar. Bezerro, coicear urubu. Num era muito maior? Soltou a Mocha. Mandou de volta pro pasto. Cuidar de sua cria. Proteger o filho das bicadas do grande pássaro negro. Parente feioso da águia carrapateira. Do pinhém.

FOGO, CERRADO!

A vaca, nem bem Cândido abriu a porteira, saiu no galope. Quebrou colchete do pastim. As outras saíram atrás na correria. No disparo. Disparo da vacaria. Ia de ter guerra contra urubu no meio do capim meloso.

Só restou touro reprodutor no curral. João estava com o balde e o laço na mão quando ouviu um raspar de terra. Casco cortando a areia. Monarca, o reprodutor do patrão, nelore bravo, tava quase em cima dele. Atacou sem o vaqueiro pressentir aviso. Correu pra trepar na cerca. Dia desgraçado. Te arrenego. Bem que Zefina queria benzer. A lerdeza de Cândido virou esperta. De nada adiantou. O chifre do boi pegou o vaqueiro antes dele subir na cerca do curral. Fincou na costela, de baixo pra cima. Cândido subiu uns dois metros. Pensou no compadre Tonico. Morreu depois que uma vaca parida botou os bofes do amigo pra fora. Com os chifres.

Só quem não conhece num tem medo. Boi, de sonso, é puro fingimento. Finge até no aceitar morrer para ter pasto cuidado, comida farta, vacina de graça e homem empregado para mandar matar as onças todas do Cerrado. Esperto, o danado. Raça dele num ia de acabar nunca. Tonico morreu logo. Num deu tempo de levar até Pirapora ou João Pinheiro pra médico coser as entranhas dele. E João ali no ar. Palhaço. Todo bambo. Caiu pesado. Esterco amaciou queda. Levantou no mais depressa. Subiu na cerca. Boi ali bufando. Êta mundo de desgraceira, sô. Enjeitar briga num dá.

261

O vaqueiro pegou de novo o ferrão já cheio de sangue das vacas. Voltou ao curral. Antes, olhou pras costelas. Doíam. Deviam de estar quebradas. Dor imensa. Solda logo. Uma mancha arroxeada ameaçava aparecer. Tinha que brigar com o reprodutor de estimação do Coronel. Pra num levar raiva pra casa. Para que não mudasse regra que manda obedecer a bicho-homem. Deu a primeira ferroada. O touro parou no meio da investida. Recuou com seu corpo todo. Dava pra ver a enfezadeza dele. Ralou o casco no chão. Como escavadeira trator. Bonito. Num sem parar. Raiva pior do que a do inimigo, o que bulia com as vacas dele. Só! Respirava apressado. Arreganhava o focinho. Bufava. Levantava poeira de bosta seca. Com as patas da frente. Avisando ataque. Criando medo em João.

Casco, de tanto raspar, rasgava chão de terra batida do curral. Um trem de verdade. Tonelada e meia de músculo. Força de máquina de puxar cinquenta vagões. Daqueles que iam pra Montes Claros, terra de Madalena. Dia houve que pegou caminhão cheio de paus-de-arara. Não conseguiu cruzar os trilhos. Apito de doer ouvido, muito mais forte mesmo do que o que povo do acampamento usava nos jogos de domingo, deu conta não de evitar o desastre. Motorista podia não estar acostumado com cruzamento de linha de trem de ferro. Braços, pernas e cabeças pra todo canto e lado.

Segurou firme o ferrão. Costela doía fundo. A vara vergou no quase quebrar. Monarca deixou a carne ser cortada. Rasgada. Recuou. Sem medo. Por prudência, vaqueiro bateu na cabeça dele. Barulho seco. Oco. Outra batida. Cabeça de boi num tem nada dentro? O touro encostou a bunda na cerca do curral. Pra ganhar distância de ataque. Raspou o pé da frente. Outra vez. Soltava gosma branca pelo nariz. Avançou. O vaqueiro segurou o peso do ataque com a vara do ferrão. Que não resistiu. Vergou demais da conta. Partiu. Monarca sentiu cheiro de vitória. Foi pra cima de João Cândido com o ódio imenso de um touro nelore, enciumado.

Enfiou o chifre com vontade. Deixou Cândido caído no meio da bosta de vaca. O boi procurava ao acaso o melhor lugar pra furar. Acabar logo com briga besta. Vaqueiro rolava. Escondia a cara. Protegia o corpo. Pra fugir das chifradas. Procurava o facão. Boi dos diabos. Cê tem parte com o cão, fié-da-mãe. Monarca jogou o homem para o alto. Golpe forte. Pescoço longo. Branco. Só músculo e nervo. Pai de pra mais de mil e quatrocentos bezerros. Cobria dez vacas por dia. Se estivessem no cio. Pena que nem sempre estavam.

O vaqueiro caiu de pé. Rasgão na barriga. Os buchos ameaçavam sair. João Cândido apertou a ferida grande. O touro atacou. Golpe final queria. O homem já estava com o facão fora da bainha. Ele sabia o lugar certo de furar. No meio das patas dianteiras. Fundo. Facão afiado entrou mais fácil. O ataque do boi, com sua força toda, ajudou a arma a ir até as profundezas do seu corpo.

Chegou no coração. Nos alqueires todos da Fazenda Santo Antônio, o povo escutou o berro mais cavernoso jamais escutado nos Gerais. Berro demorado. Sofrido. Mulheres do povo do acampamento suspenderam o preparo dos temperos para a mão-de-vaca. Homens que se preparavam para jogar bola trocaram alpercata por butina de festa. Apertada. Dolor, na roça de Seu Ciço, decidiu voltar no galope para a sede.

Os olhos de João Cândido brilhavam de um azul esquisito, azul de morte. Pareciam olhos ferozes de co-madre Zefina. O melhor reprodutor daquelas bandas. O rei do pastinho e do pasto de meloso estava tombado no chão. As mãos perebentas do vaqueiro, esfoladas. Carne viva. A pele grossa dos calos tinha sido arrancada. Sangue muito saindo pela barriga rasgada. Costelas partidas. Dores. Dores que homem nenhum devia de aguentar. Pior do que mordidas de jararaca e escorpião vermelho. Juntas. Roupa um molambo só. Zefina não ia de gostar. Coronel menos ainda. Tudo dava errado por maldição do comunista morto. Vingança seria. Chegou tonto até a porteira. Dor dava vontade de vomitar. Mais parecia que havia bebido garrafa e meia de cachaça de alambique do Sinhô. Abriu a porteira com a boca. As mãos sangra-vam demais. Serventia era para segurar as tripas. Num podia relar em madeira.

Pensava no boi morto. Amigo. Será? Seria? Passaram quase seis anos juntos. Vaqueiro cuidou quando era bezerro. Meninos filhos dele ganharam força brigando contra Monarca. Respeitavam um ao outro. Sentiu tristeza. Igual quando morreu Manequim, seu último filho. Sá Joana mandou ele tomar decisão. Morria Zefina ou morria Manequim. Nome escolhido para menino. Ziza, se menina fosse. Decidiu salvar a vida da mulher. Teria outros Manequins. E não teve. Tonho e Zinho vieram antes. Na verdade mesmo, seguiu o aprendido com a velha. Na família dela, deixava viver só cria nascida sadia. Salvava, também. Muitos que muitos. Se estivesse presente na hora da morte de Monarca, juntaria o sangue ainda quente e mandaria meninos com amarelão beber. Condenados à morte, reviviam!

Na manhãzinha da briga com Monarca, lágrimas que pareciam ter saído dos olhos de João Cândido eram mesmo água de suor descendo a ribanceira da testa. De olho jagunço nunca sai choro. Sou acostumado a viver com bicho. Nunca furei animal. Nem boi carreiro. Sou bicho-homem. Não entrei em caçada. Raposa, gambá, tatu e onça-pintada nunca enfrentaram minha força. Força de facão e de Filobé. Até passarinho codorna merece respeito. Só mato mesmo homem-bicho. Não tenho nome Pedrão. Não sou caçador. Nunca fui. Bicho--homem faz mal. Ataca Coronel, patrão. Quer tomar suas terras. Cortar suas cercas, acabar com divisas, fazer daquilo uma terra só sem dono e dono todos de tudo. Tinham mais é que morrer.

A dor, de tanta, empurrava o vaqueiro. Em busca de ajuda. Caminhava como bêbado. Corria como galinha com cabeça cortada. Chegar logo ao rancho. Cambaleava. Cuidaria de não assustar nega Zefina. Fedia a pus de berne. Bosta de boi não fede. Cheira. Pus é diferente. Deixou balde no curral. Se preocupou. Balde vazio. Só com aquele restinho de leite vermelho-rosa da Mocha. Vaca devia de estar brigando com os urubus. O Cerrado na sua calmaria é feito só de briga. Naquele dia, pior ainda. Paradeza apenas pra quem vê os campos Gerais lá do alto da rodovia. De passagem.

Os carros pretos do povo de Brasília tentavam cruzar a ponte do Rio Santo Antônio. Não conseguiam. Caminhão estava lá atravessado. Na boleia gente namorando. Esquecida da vida de fora. Fenemê ficou atravancado quando jipe quis forçar passagem. Esgastalharam na ponte. Jeito havia não de se moverem. Enrosco de perder anzol. Zé Carlindo tentou que tentou. Pneus soltaram fumaça muita no asfalto. Dava mais não. A ponte entupiu. Carros demais rumo a Brasília.

No caminhão, Madalena queria mais. Importância nenhuma dava para olhar de curiosos. Olhos de cobiça. Descobriu que ser vista na hora de era gostoso. Aumentava vontade. Orgulho de mostrar o que mais sabia fazer. Talvez um dia virasse professora de gozo maior. Essa Madalena. Tinha é fogueira acesa no seu interior mais profundo. Os homens que iam ver a inauguração da nova

FOGO, CERRADO!

capital eram esquisitos. Vestiam paletó. E gravata. No calor. Mulheres com os sapatos montados num toco fino. Andar parecido com de periquito. Povo de outro mundo. Estrangeiros. Eles também. Como povo garimpeiro. E o do acampamento. Elas tampavam a boca na hora de rir da gemeção de Zé Carlindo e de Madalena. Tiveram vontade de. Já seus homens olhavam, gostavam, mas perdiam interesse logo. Melhor mesmo, antes do DER desentupir a estrada, era ver jogo de futebol.

XXIII

Sete horas de uma manhã fria nos Gerais. Domingo. Povo do acampamento conhecia dias da semana. Até feriado. Folga do trabalho. Homem vaqueiro tinha nada disso não. Segunda e domingo eram coisa de quem morava em capital. Natal e Ano-Novo, também. Os dias no Cerrado são iguais: quinta é terça, segunda é sábado, e domingo é quarta. Povo da roça e povo jagunço não nomeavam os dias todos. Também pra quê? De respeito mesmo só Sexta-feira Santa. Domingo, de quando em vez. Para assistir missa em João Pinheiro. Sexta Santa é que era sagrada. Aí ninguém podia tirar leite, andar em animal. Dia de descanso dos bichos. Dia de aumentar o silêncio do Cerradão. Respeito do trabalho deles. Num tinha capina. Ou cortar árvore pra botar nos fornos da carvoaria. Rádio do Coronel silenciava. Povos todos sussurravam. Voz subia tom e era repreendida com indicador cruzando a boca: schiiii, schiiii...

O domingo era de importância muita para povo do acampamento. Diferente do dos Gerais. Muito. Ficavam na tranquileza conversando na frente das casas de madeira. Inventaram até uma feira onde tinha de tudo do Norte: de farinha a macaxeira com o gosto lá deles. No domingo não carecia ir fazer brita, varrer poeira para não grudar no asfalto novo. Carregar terra. Botar cascalho no acostamento. Esquentar piche. Cortar mato. Dia era de jogar bola logo no de manhã. Prosear depois. E, à tarde, torcer pelo Santa Cruz. Ouvir a Rádio Clube de Pernambuco. Em cada casa, um rádio. Escutavam, a toda altura, os jogos. Náutico, Central, Sport, Santa Cruz, Bahia, Vitória, Fortaleza e até um Botafogo da Paraíba. Garrincha, Quarentinha, Pelé, o menino, Castilho, Didi, Dida, Manga, Nilton Santos, Telê, Pinheiro, Zagalo, Mauro Ramos e um infindar de nomes de jogadores tratados como amigos de família. Família deles. Bem que meninos do acampamento tentaram conversar de futebol com o povo da roça e o povo jagunço. Não deu liga. Com o povo da carvoaria até que havia um pouco de assunto. Conversa meio desencontrada. Sabiam só de Galo e Raposa.

Povo do acampamento não precisava tirar leite todo santo dia, capinar, apartar gado, plantar, consertar cerca, roçar, vigiar meeiros, tratar de bicheira. Domingo, jogo

FOGO, CERRADO!

começava cedo e acabava nove da manhã. Cada um queria ser melhor do que quem jogou na seleção campeã na Suécia. Mesmo sem chuteiras. Uns poucos usavam meião. E quédis. Dia de descanso. Feriado de futebol. Os poucos beatos tentaram pegar carona nos caminhões basculantes da Rio-Brasília pra ir à missa em João Pinheiro. Não conseguiram. A ponte estava atravancada. A Rodovia parou. Engarrafamento de dezoito quilômetros. Impossível. Cruzar o Santo Antônio.

Carros pretos. Caminhões de carvão. Caminhonetes. Basculantes da Companhia levando resto da mudança dos engenheiros. Jipes Toyota dos novos coronéis. Dois ônibus da Cometa. Jardineiras. Um cegonheiro. Rural Willys. Fusca de não acabar mais. Enrosco chegava ao alto dos dois morros que formavam o vale do rio. Vaqueiro tocava boiada pelo acostamento. Carro de boi cheio de espiga madura de milho tentava atravessar a pista. Carroça e charrete. A Rio-Brasília parou. De vez. Jeito nenhum havia de ir ou vir. Tudo entupido. Parou de vez. Aquele povo todo das cidades foi descendo dos automóveis e caminhões. Se juntando no acostamento e nas duas pistas. No início, interesse todo era para agarração de Madalena e Zé Carlindo. Nunca tinham visto nada igual. Povo de Belo Horizonte e do Rio comentava que era melhor do que filmes que mostravam os cabarés da Europa. Europa à Noite! Depois, a atenção se concentrou no jogo de futebol no povo do acampamento. Para começar estava.

A ponte virou arquibancada. Barranco, a geral. Os convidados de JK, cansados do esperar, foram sentando na ponte mesmo. Pés balançando pra fora. Vez que outra mandavam motorista buscar guaraná Antarctica nos carros. Ou Água Lindoya. Crush. Brahma. Os caminhoneiros e ajudantes sentaram no chão mesmo. Ou na carroceria. Para ver melhor. Agitação não distraía Madalena e seu novo homem. Só tinham olhos um para o outro. Povo da Carvoaria foi chegando. Nunca se viu tanta gente na entrada da Fazenda Santo Antônio. Vendo jogo. No acampamento, quem não jogava assistia. Rezavam ali mesmo uma ave-maria apressada e pediam a proteção do Padim Ciço. Santo poderoso e forte. Os Gerais não tinham ciência deste santo.

Cheiro forte de tempero da mão-de-vaca começou a sair de todas as casas de madeira. Chegava até a ponte. Nagib soube do acontecido. Providenciou comida. Ganhou dinheiro muito. Procura tanta. Cheiro de mocotó abriu o apetite da imensa multidão. Gente de muito falar para os Gerais. Acostumado à paz. O encontro vez que outra de quatro roceiros já era gente demais. Turco Nagib colocou Mercês para trabalhar. Se oferecer aos caminhoneiros. Já quentes por causa de Madalena e Zé Carlindo. Irmão dela vendia bolo, bolacha Maisena, café. Se o enrosco de carro continuasse, faria comida para vender de marmita. Arroz na primeira. Feijão-rouxinho na segunda. Carne com

Fogo, Cerrado!

mandioca cozida na terceira. E tomate com cebola e alface na quarta. Ou comprar, para revender ao povo muito faminto, a comida que vinha daquele cheiro bom que saía das casas de madeira do acampamento.

Mulheres dividiram as patas dos animais mortos no dia anterior. Comum acordo. Oito no total: da vaca chamada pelos roceiros de Baixinha e do bezerro dela. Mandaram meninos buscar outras quatro duma cria nascida no campo. Antes que urubu comesse tudo. Na manhãzinha, chegaram outras quatro. Ainda pingando sangue quente. Do Monarca. Misturado com tutano. Do melhor. Patas parrudas. Da horta do Coronel, tiraram tomate, cebola e pimenta-malagueta. Farinha só a que os parentes trouxeram do Norte. Dava pirão bom. A dos Gerais era demais de ruim. Grossa e dura. Como areia. Caldo de mungunzá amarelo. E farofa de jerimum. Naquele Cerrado tinha de como ter de tudo. Até manteiga de garrafa. Do leite das vacas de João Cândido. Carne de sol havia no jirau. Maxixe sobrava no campo. Tempero, o que soltava cheiro de dar água na boca nas gentes todas vendo jogo lá de cima da ponte, saiu da horta de Zefina para os panelões: cebolinha verde, salsa e coentro.

Futebol começou sem juiz no apito. Todos os jogadores corriam juntos para onde a bola ia. Ninguém respeitava o onde ficar: centerforde, ralfidireito e centeralfi. Time sem camisa parou o jogo. Frio num tava dando de aguentar. Multidão da ponte reclamou. Decisão foi todo mundo jogar com camisa. Diferença era lenço amarrado na cabeça. Maioria jogava descalça mesmo. Uns três de chuteira. Goleiro de alpercata. Jogo animado. Faca de ponta escondida em bainha colocada junto ao saco. Prevenção. Motivo de briga não faltava. Pouco valor era dado à vida. Faltava apenas Severino, goleiro que nem Gilmar e Castilho, entrar em campo. E Dôda, que pouca diferença fazia. Ele devia de estar bêbado. Completamente. Severino? Fazendo num sem parar o que mais gostava depois de brigar pela Reforma Agrária: ficar com mulher! Desta vez, com a beleza diferente de Maria Sarará. Última vez em que foi visto andava pras bandas da carvoaria. Mãos dadas com a prima. Rosto de felicidade muita. Jogadores sentiram falta dele. Ainda mais com todo aquele povaréu assistindo e torcendo.

O que Severino fazia ali naqueles Sertões das Minas Gerais ninguém sabia explicar direito. Não era retirante da seca como os demais. Parecia letrado. As mãos, sem calos muitos. Ninguém ousava perguntar. Na lei dos Gerais, pergunta muita é besteira. Na do Norte, também. Coronel, não. Este sim sabia que aquele homem era um comunista. Que estava ali para ocupar suas terras num para sempre estar. Nas casas do acampamento, sentindo o cheiro da mão-de-vaca, mocotó saudoso, muita saudade e conversa de seca. Não havia um que não lembrasse o pedaço de terra que deixou.

FOGO, CERRADO!

A velha mãe de Severino, Maria das Dores, Dasdores chamada, cara toda enrugada e ainda uma fortaleza, era mulher faladeira. E mão-de-vaca e sarapatel não havia melhor quem fizesse. Trabalhava duro na enxada. Tirava leite de cabra, criada misturada com o gado do Coronel. Sem ele saber. Andava de jegue. Rachava lenha. Carpia. Pai e mãe de Dôda e Severino. Desde a morte do marido numa briga de bar em Jaboatão.

Velha de olhos vivos, embaçados por causa de pelanca dentro, como água leitosa, contava sempre a história de sua ida para o Cerrado: larguei minha terra por causa de perseguição. E não explicava, no início, que tal de perseguição era essa. A história dela começava com um salto no tempo, um vazio oco. Pulava, no inesperado, pra longa viagem do seu Pernambuco rumo ao Cerrado das Minas Gerais. A caminhada para o Sul começou num pinga-
-pinga do Recife pra Maceió. Tristeza de doer no seu Norte-Nordeste. Solução única era fugir rumo Sul. Pegou suas coisas poucas. Botou numa mala de papelão. Com rede, fez trouxa e disse pra Severino e o irmão: chegou a hora, vamos! Os filhos nem rebateram ordem da mãe pra começar aquela marcha sem fim conhecido. Sem destino certo. Para eles, num havia mais lugar no Norte.

Dasdores era tida como mulher valente. Valia mais do que muito cabra-macho. Os três pegaram o ônibus lotado no Recife, que foi parando na estrada esburacada, coberta por uma camada fina de asfalto. Lotando mais.

Povo passageiro todo triste. Nariz apontado para o chão. Uma procissão de ônibus, caminhão, carroça e gente. Maioria era mesmo de paus-de-arara. Fenemês cobertos com lona, bancos de madeira na carroceria, lotados de gente. Mais parecia caminhão de carregar gado. Rumo Sul. Ninguém subia rumo Norte. Pra viver, só no Sul. Severino contou os passageiros do seu ônibus: 90. Lugar, sentado, havia para 46. Um em cima do outro. Gente doente. Uma fedeção de tapar nariz. Num tinha parada pra comer. Todos levavam sua carne-seca numa capanga. Carne do último animal a morrer na seca brava e monstruosa. Farofa. Jabá. Galinha assada. Carne de bode. Cheiro de comida se misturava com o de suor de fraqueza. Ninguém reclamava. Mas era pra?

Dasdores contava, num sem parar, a história da vinda dela e dos filhos para o Sul. Povo escutava, atento, enquanto cozinhava mão-de-vaca. No meio da estrada do Recife pra Maceió havia um homem deitado que nem morto. Freada feia pra não amassar o corpo. Debaixo das rodas. Está morto? Num tá. Discussão quente. O corpo se levanta. Homem magricelo e sujo de poeira amarela. Ficou ali olhando para o motorista. Tirou de dentro do bolso papel de embrulhar carne em açougue, cinzento e grosso, todo enrolado. Foi desembrulhando depressa. Dentro, um par de alianças. Com dedos de esqueleto, passou na frente de cada janela do ônibus. Ar de imploração. Abria a mão só

FOGO, CERRADO!

um pouco. Preciosidade maior poderia cair. Pedindo, com os olhos chorosos, a compra das alianças. Mode que meus meninos estão morrendo de fome todos. Homem acostumado com o Sol. Cearense. Do sertão vinha. Vendia a última coisa de sua posse. Única maneira de seguir rumo Sul. Os olhos todos fixados nele sabiam que não iria durar muito.

Queria salvar suas crias. Meninos que botou no mundo. A mulher já estava morta. Enterrada perto de Petrolina. Antes de jogar a terra por cima dela vacilou. Tentação de tirar a carne que restava e dar para os meninos. Sabia que ela não ia de se importar. Estava morta mesmo. E mãe quer sempre o de melhor para filho. Pai, nem sempre. Faltou coragem. Chegou a rasgar, com a peixeira, pano que foi rede e que embrulhava o corpo da mãe de seus filhos. Só não cortou mesmo umas três tiras de carne porque filhos não iam de entender gesto nunca, jamais! Encontraria jeito outro de salvar os pequenos.

Meninos esqueceram o gosto de comer carne quando o Sol secou tudo. Todo dia, o homem chegava em casa com muita vergonha. Nem farinha ou rapadura tinha pra oferecer. Barriga deles foi crescendo, o resto do corpo desaparecendo. Só osso. Barrigas grandes. E vazias. Estufadas. Todas as costelas se mostrando. Olhos grandes. Imensamente grandes e redondos. Quanto maior a fome, mais cresciam os olhos e a barriga. Olhos bonitos e cheios de melancolia.

A mão passou perto da janela onde Severino estava sentado. De dentro de um lenço amarrotado e dado nó, ele tirou suas economias. Deu tudo. Sem uma palavra. Severino não sabia quantos contos tinha. Ou se havia mesmo um conto. Era toda a posse que levava para o Sul. A velha Dasdores ainda tinha uns trocados. Deviam de alcançar para terminar a viagem. Pegou as alianças. A mão do homem que implorava um dinheiro qualquer pra comprar comida ainda mostrou certa resistência. Os ossos dos dedos, magros e compridos, se fecharam nas joias de ouro. Como numa despedida de tempos melhores. Parecia caveira tentando segurar um tesouro.

Severino disse com voz calma: o dinheiro te terá mais serventia. O homem abriu rápido o lenço enrolado e entregou de vez as alianças. Juntou os meninos dentro da rede. Dois. Fez um saco, botou nas costas e tentou correr para encontrar uma venda e comprar rapadura. Seria dia de festa. Festa da morte. Todos condenados já estavam. Os passageiros começaram a olhar pra Severino e falar alguma coisa em voz baixa. Ele continuou sereno. Ouviu os soluços da mãe no banco de trás. Ficou no quieto dele. Dôda, o irmão sentado ao lado, optou por calar a boca. Sem assunto.

Irmão lembrou quando Severino era mascate no Recife. Vendedor de lenço, roupa, meia, coisas de cozinha, perfume, enfeite de corpo e de casa. Os outros mascates gostavam do bom gosto de Severino. Foi que um dia, os fiscais

Fogo, Cerrado!

vieram. A Polícia, junto. Tinham ordens de acabar com os mascates. Severino organizou defesa. Montou sistema de aviso. Assobios curtos que cortavam a cidade. Os guardas chegavam, no correr deles, encontravam só um mascate. De isca. Quando começavam a juntar as coisas para tomar, um mundo de gente aparecia, de repente, de cada esquina, dos bares, das lojas e de debaixo das pontes. Eram os mascates. Escondidos esperavam a hora de dar o bote no bote. Tiravam o companheiro preso na base da porretada. Recuperavam a mercadoria. E corriam num sem mais poder correr. Jeito de alcançar não havia.

A polícia e os fiscais caíam sempre na armadilha. Invenção de Severino. Pediram apoio. De pelotão de emergência. Só havia tido tanto soldado nas ruas do Recife nos tempos da guerra. Muitos decidiram brigar com os soldados. Não queriam seguir ordem de Severino, a de pegar eles somente na tocaia. Preferiam lutar de peito aberto. Eram presos. Sofriam bestamente. Severino pediu pra todos os mascates voltarem pra suas casas. Esperar que o ódio muito dos soldados caísse sobre os passantes. Aí iam ganhar aliados e amigos muitos naquela guerra. E sem perder um só homem. A polícia parecia desorientada, batendo no povo e atirando em mascate que encontrasse com um pedaço de pau ou pedra. Mascate não usava peixeira.

O comandante dos soldados, vestido com farda verde, pediu pra não matar um dos mascates. Queria ter, em suas próprias mãos, só um deles. Vivo. Esperou, fumando tranquilamente, a chegada do primeiro na delegacia. Começou batendo forte nele. Depois, pegou duas ripas, colocou os bagos do homem ainda menino no entremeio e foi apertando devagar. Quem era o chefe dos mascates? Fazia a pergunta de modo suave, quase num sussurrar, sem se importar com os gritos de dor do magricelo vendedor de jambo. O mascate não resistiu: Severino é o nome do nosso chefe. O comandante sorriu e deu um aperto final. Os dois bagos dele viraram um só.

Moleque que servia de mulher para os presos da delegacia viu tudo. Correu com todo o correr pra casa do Severino: descobriram que você é o chefe dos mascates. Estão chegando pra te prender. Jeito mesmo é fugir agora mesmo. Severino, primeiro, se escondeu na zona do porto. Depois, fugiu para o Sertão de Pernambuco. Andou que nem cangaceiro. Procurado. Ódio da polícia, do homem de verde, não guardou. Não soube nunca que sua mãe, a velha Dasdores, e o irmão, o jovem Dôda, apanharam seguidamente. Na delegacia e no quartel. Não reclamaram e fizeram um pacto de não contar nunca pra Severino o acontecido nas mãos dos soldados. Sofreram sem uma reclamação. Era preciso. Para salvar filho e irmão. Sem choro. Nada. Os homens tinham até uma maquininha estranha que dava choques cada vez mais doloridos. Rodar da manivela dava o tamanho da dor. A mesma de choque usada no

Fogo, Cerrado!

abusado do Gregório Bezerra, homem que tinha enchido a cabeça de Severino com ideias de Moscou.

A polícia queria porque queria encontrar o líder dos mascates que escapou do comandante de farda verde. Severino teve que esperar dois anos pra voltar. E só escapou das barreiras montadas pela cidade porque foi pra casa de Sebastiana. De profissão, mulher da vida. Ela mesma dizia. A moça mais linda de Pernambuco. Caiu na vida quando um marinheiro soldado loiro do estrangeiro passou pelo Recife e a obrigou, com fala enrolada e muita força, a dormir com ele. Ela, ainda menina. Virou mulher da vida. Nove meses depois do acontecido, teve um menino esbranquiçado. Ganhou apelido de Galego nem bem acabado de nascer.

Sebastiana deixou Severino escondido no último andar do prédio, no quase desabando, perto do porto. Dia que não chegava navio com estrangeiros e não havia fregueses da cidade, ela levava o filho pra escutar os contos de aventura de Severino. O que o Galego gostava mesmo era do conto da guerra dos mascates. De como enfezaram a polícia e conseguiram ficar com suas vendas. Severino virou irmão das moças do porto. Respeitado. Na casa-pensão de Sebastiana sempre havia um dedo de prosa. Ganhava algum dinheiro como estivador. Dava tudo pra Sebastiana. Trabalhava com nome emprestado. Depois de passar um mês morando na velha cidade, tentou voltar pra casa da mãe e do irmão.

Dasdores olhou pra ele e chorou. A polícia estava de campana. Já deveriam de saber que um dia filho dela ia de voltar ao ninho. O soldado-espião correu para o quartel de Olinda: Severino voltou! Fácil de pegar.

Chegou a hora, vamos. A velha Dasdores sentiu o cheiro de tropa. Tempo pra perder não há. Os soldados invadiram a casa com tiros de desapontamento. Passarinho fugiu. O homem de verde na frente. Espumava. Urrava. Deixou cair o revólver no chão quando o braço fazia gestos de ódio ou de doido. A arma, uma 45, caiu no cimento e disparou tiro certeiro. Entrou debaixo da boca e saiu do outro lado, rasgando a cabeça, espalhando uns pedaços de miolo e osso lascado. Dizem que conseguiram remendar a cabeça dele para enterrar. Hora de fugir rumo Sul. Pra sempre. Tinha morte nas costas. Seguir a ordem de mãe Dasdores. Sem reclamar.

Dôda gostava no demais de Severino. Contava aos amigos que o irmão era o Lampião do Recife, do Porto, da Boa Viagem e do Pina. Coisa besta. E Severino, herói-irmão, estava ali sentado naquele ônibus ao lado dele. Inchava o peito de contentamento. De orgulho pela valentia do irmão.

Severino conversava com o irmão em voz baixa, grave. Ia segredando coisas. Atrás, a mãe continuava aos soluços. De que adianta chorar? Os passageiros choravam. Todos! O povo também, baixinho. Choro pela terra. Pela gente. Choro pela quentura do Sertão. Pelos rios e açudes que secaram. Pelas vacas que morreram. Pela vida que foi escapando rumo Sul. Severino disse pra mãe: chore baixinho, como a senhora sempre fez. Faz bem. A tristeza tá grudada na alma deste povo. Plantou raiz. É que nem passarinho no visgo. Sai nunca.

Dôda conseguiu guardar tudo o que Severino segredava no seu ouvido. Dos tempos de fugido, dois anos, quando se juntou com um povo sem destino certo. Botou fogo em muito canavial. Andou pelo chão quente e pelando do sertão. Com as alpercatas queimando. Fogo em brasa. Pés rachados. Não era tempo de pensar, mas de fugir de uma caatinga pra outra. Sertão bravo. Tinha saudade dos coqueiros da Boa Viagem e de Piedade. Da chuva. Das enchentes. Do Recife e de seu povo mascate.

XXIV

Nesse tempo de esconde-esconde, Severino encontrou frei Inocêncio. Padre que andava pelo Sertão casando o povo. Pregando. E dormindo com mulheres generosas. Sofria o ódio dos párocos de quase todas as igrejas. Arcebispado deu ordens ao monsenhor Fernando, homem de inteira confiança, de seguir o frei em suas andanças. Recebeu um Chevrolet preto, como táxi, com motorista de uniforme, para acompanhar Inocêncio por onde fosse que andasse. Um pregava. O outro despregava. Briga de padres no Sertão.

Frei Inocêncio encontrou Severino na feira de Juazeiro, num tempo de muita secura. De tudo morrer de falta do de comer. De falta do de beber. De água salobra. E de tristeza. Secura que fazia bicho-homem virar bicho--animal. Animal fugidio e resignado. Severino viu na feira o homem-padre com os olhos famintos que nem os do povo da terra. Perguntou. Ficou sabendo que frei Inocêncio seu nome era. Vinha do Sul, passando por Montes Claros e Maceió rumo ao Recife. Atiçado de curiosidade, Severino quis logo saber notícias de sua cidade, da briga da polícia com os mascates.

Arrodeou o frade com jeito de quem não quer nada. Frei percebeu logo. Diz logo, depressa, homem de Deus. Num fica com rodeios. Deixa de ser cavernoso. Aquele jeito de dizer, de terra de caipiras, fala nervosa do Sul misturada com frases do linguajar de seu povo, fez risos em Severino. Se abriu com Inocêncio. Conversaram horas. Noite veio, foi. Passou dia. Sem precisar comer. Ali, no meio da feira. Povo pensando que tinham endoidado. Com Inocêncio, Severino sentiu fome de mês e ano naquele braseiro do Sertão. Viajou, no depois e longamente, pela quentura e a paradeza de morte do Ceará, Rio Grande do Norte, Paraíba, Bahia e Pernambuco. Sertão bravo. Tempos de pregação. Um prosear sem-fim. Até quando voltou para o seu Recife. Para fugir para o Sul. Evitar prisão.

Frei falava e falava numa voz de delírio, de febre de queimar mais que o Sol do Sertão que: a salvação do futuro estava por vir; que pecado não havia; pecado mesmo era ser rico; era preciso começar ali, naquele fim de mundo, a construir com massa boa e pura um novo tipo de gente; viver com o povo, como ele e Severino, sem riquezas, com igualdade; Igreja que é Igreja mesmo só deve pensar no pobre; é a gente do Sertão que deve agarrar seu destino

FOGO, CERRADO!

pelas mãos e dar rumo nele; os pobres são os escolhidos por Deus; é preciso mudar tudo, todos os costumes agarrados até hoje; criar novo homem, rei do futuro; a vida completa só estava mesmo no trabalho pelo futuro de todos iguais; a Igreja deve ser o homem; é dever fugir dos matadores, das rezas e das penitências; representante de Deus que se preze precisão tem mais é de estar no braseiro; povo do Sertão deve de conseguir ter seu futuro, dele próprio, sem a intromissão do deus daqui.

Era um falar agonioso este o do frei a explicar pensamento novo na voz esquisita dele. Demorava no ensinamento-sermão. Ia, voltava, a gosto do ouvinte. Tempo num havia de ser problema pra conversa de tão grande importância. Para mudar sertanejo da caatinga. Uma vida, preciso fosse, para acertar cada ensinamento. Uma vida pra botar tudo aquilo na cabeça de cada um que encontrasse sofrendo pela seca do Sertão.

O Chevrolet preto levando o monsenhor vestido todo de preto seguia atrás dos dois pregadores meio doidos. Um, Inocêncio, grandão, magricelo e branco que nem leite. Outro, Severino, meio baixinho e troncudo. Índio, branco e negro. Rosto redondo. Um quase nada de pescoço. Monsenhor Fernando acompanhou Severino e frei Inocêncio, nos escondidos, por todas as andanças deles pelo Sertão. Por onde o frei comunista passava fazendo discurso, Fernando achava jeito de desmentir tudo. Não era padre de Deus. Era enviado do mal. Não tinha medo do frei. Tinha, sim, ponta de medo de Severino, que entendia o palavreado do padre comunista e traduzia para o linguajar do Sertão.

Nas paróquias das pequenas e poeirentas cidades, monsenhor Fernando sempre mandava juntar o povo todo pra alertar dos perigos muitos da passagem do cão, padre-operário chamado Inocêncio, e de seu ajudante, Severino. Sermões demorados, explicativos, depois de um gole reforçado de vinho do Porto, servido da própria galheta usada na missa. Ajudantes dele eram as beatas. Negras, de roupa. Rezadeiras, de alma. Mulheres que Deus tinha colocado ao seu lado pra ajudar a convencer o povo que Inocêncio e seu sacristão Severino eram homens mesmo do Diabo.

Hereges e fariseus: a Bíblia num tem nada a ver com política; os que são mais capacitados, por iniciativa própria ou por vontade de Deus, devem de ter mais dinheiro; Deus fez o mundo assim; ninguém pode forçar um a ser igual a todos; desde que o mundo é mundo sempre foi desse jeito; ricos e pobres; Deus decidiu criar um homem diferente do outro; e não é o homem que pode mudar a Sua Vontade soberana; os pobres não são os únicos filhos de Deus; um dia eles podem também ser ricos; só precisam respeitar a sagrada vontade do criador; na Bíblia, não existe um partido dos pobres; Deus é o mesmo pra todos; o que importa, e está por cima de todas as coisas, é a dignidade; o homem precisa dominar a natureza; ter posse sobre um pedaço de terra; é por isso que existem fazendeiros.

Fogo, Cerrado!

Monsenhor falava essas verdades nos sermões de hora e meia. As beatas eram tradutoras da voz de Deus. Explicavam bem melhor que ele. E quem não entendesse podia encontrar o Diabo pela frente e ir pras profundezas do inferno. Pecado mortal quem duvidasse da palavra do monsenhor. Superior do frei na ordem universal divina. A faixa vermelha na cintura e o chapéu grandioso de quase bispo mostravam quem estava mais perto da intimidade de Deus. O frei comunista usava batininha surrada. Quem escutava o palavreado dele devia mais é fazer penitência. Pegar chicote com ponta de ferro e bater nas costas até sangrar para aprender que Deus e o Diabo não conjuminam.

As beatas davam ao monsenhor notícias do frei e de Severino. Dos cantos por onde passavam. Avisavam as Filhas de Maria e os Congregados Marianos pra que não perdessem nunca os passos daqueles dois possuídos pelo Demônio, ovelhas desgarradas do mundo de Deus, enviadas ao Sertão pra levar toda gente para o mau caminho. Mensageiros do Cão. Praga. Sete pragas. Usando as informações das beatas, das Filhas de Maria e dos Congregados, monsenhor Fernando conseguiu ser a sombra dos comunistas naqueles dois anos. Desfazendo e despregando. Mandou até botar uma geladeira de querosene no seu Chevrolet para guardar comida e uma garrafa de água doce que gostava de tomar gelada depois de comer peixe ou galinha preparada na casa das beatas.

XXV

Frei Inocêncio e Severino correram aquele mundo-sertão juntos até os pés deles ficarem com calos inteiriços. Vai que um dia o frei morreu numa emboscada. Tocaia bem montada. Severino sentiu, como cão vadio, que coisa ruim estava por acontecer. Um tiro só. E um cabra escapando em cavalo fogoso. A bala entrou na nuca do frei. Tiro era para matar Severino. Inocêncio vislumbrou homem tocaiando. Decidiu. Vida de Severino importava mais para seu Deus dos pobres e dos trabalhadores do que a vida mesma dele. Quando assassino armou espingarda, levantou-se para abraçar o amigo. Abraço fraterno. De despedida.

Severino certeza teve que Inocêncio entregou a vida dele para a Causa dos pobres. Passou a missão de conquistar novas almas companheiras para Severino. De conduzir a luta pela Reforma Agrária. Onde quer que estivesse. Rosto do frei morto, colado ao seu, era de paz. De mártir. Os braços caíram. Corpo ficou preso ao ombro dele pelo queixo. O novo missionário abraçou Inocêncio como se ele ainda vivo fosse. Desceu o corpo suavemente. Eles haviam conversado, no antes pouco, sobre a morte. Que viria, no certo. Frei convenceu Severino de que nada era mais sublime do que o sacrifício da própria vida pelos operários, pelos camponeses e por todo o povo pobre.

Severino, com as unhas e faca de ponta, começou a cavar o chão. Devagar no princípio. E como um desesperado no depois. Urubu podia comer o corpo. Ou, quem sabe, até um cachorro perdido e em desespero. Enterrou. Pôs cruz. Agia no apressado. Havia que escapar. Certeza muita tinha que frei salvou a vida dele. Para cumprir a missão de conduzir a luta pela Reforma Agrária. Rumou pra Garanhuns. Aí fez amizade com Nêgo Borges e com o sarará Paulo. Contou as histórias de Inocêncio. Contou igual contava para Dôda naquele ônibus pinga-pinga que ia de Maceió para o Sul.

Sermão de Severino falava das verdades do frei de modo diferente: como é que povo pode pensar num Deus bom com a barriga pregada nas costelas; Deus num dá nem nunca deu para homem mortal nenhum a escritura da terra; houve tempo em que a terra era de todos, ninguém dividia ou aramava; cada um fazia por todos, nada era de ninguém particular; não havia pobreza nem

FOGO, CERRADO!

riqueza, como no quilombo dos Palmares; tempo bom da peste precisava ser construído; história nossa foi mudando quando um homem virou dono da enxada e, outro, da terra; quando aquele que não tinha uma coisa nem outra vendia o trabalhar dele mesmo em troca da comida; a Igreja tinha ficado ao lado do dono da enxada, da comida e da terra, mas agora estava bandeando.

As lembranças do frei caminhante continuavam sopradas no ouvido do irmão naquela viagem de seis horas e meia da capital de Pernambuco pra capital de Alagoas. Num sem parar. Na voz macia de Severino. Bem no devagar e no silencioso pra não acordar passageiro a dormir: quando tudo deixou de ser de todos, quando cada um fazia suas coisas e trocava, quando inventaram o dinheiro, os que não tinham nada trabalhavam para quem tinha muito; o Cristo, que tinha pregado a pobreza, não havia visto nada disso; Igreja foi até ser dona de terra e de dinheiro, riqueza muita; no tempo que vieram as indústrias tudo continuou no pior para quem não tinha dinheiro, enxada e terra; havia dono de tudo, até do próprio povo; existe um povo de poucos; tem o dinheiro e tudo aquilo que faz nascer mais dinheiro; e a força, pra compensar a dele que não usa, é a do vaqueiro, do peão, do boiadeiro, do meeiro camponês; do que trabalha nas indústrias; Deus não quis isso não; céu mesmo é aqui na Terra: deve de ser tudo igual; o rico quer desigualdade porque assim fica com mais tudo.

Os ensinamentos de frei Inocêncio saíam da boca de Severino como se ele estivesse delirando. Mais um pregador do Sertão. Padim Ciço renascido. Santo pregador. Frei falava com fé de crente. Com voz de raiva mansa. Severino disse que Inocêncio foi para o céu. Mártir pra valer. Ressuscitou, sim. No corpo de Severino. Este é o verdadeiro sentido de voltar a viver. O espírito é que renasce. A ideia pregada é que ganha vida ainda mais forte do que a vida mesmo. Frei preferiu ficar enterrado ali. Cozinhando debaixo da terra do Sertão bravo. Esperando verme comer. Na hora da morte na tocaia, Severino fez promessa. Jurou ser pregador das verdades de seu padim Inocêncio.

Monsenhor Fernando viu quando o corpo de frei Inocêncio caiu em cima de Severino. Escondido dentro do seu Chevrolet preto, assistiu o inimigo de seu Deus cair tombado. Com tiro certeiro. Não sentiu dó nem piedade: o diabo do frei pagou os pecados dele; morte vem sempre na hora certa; castigo da providência; queria governos totalitários, marxistas, comunistas; fundador do reino do anticristo; só fez mesmo pregar pra atrair todo o povo ingênuo, não pensante, pras verdades do comunismo; verdades do Demônio; queria levar todos para escravidão mais tenebrosa que o inferno; pregação de padre comunista é para criar o inferno aqui na Terra; acabar com os costumes, instaurar a anarquia; mulher de todos os homens; falta de pureza e docilidade; querer

FOGO, CERRADO!

justiça e igualdade geral aqui é negar o reino de Deus; a lei de Deus; esquecer o pecado, a penitência; nem mesmo confessionário ia de haver; padre ateu, materialista e comunista; pobre que ganha muito menos que rico é mais feliz; não tem todas as preocupações do rico. Ainda bem que Inocêncio morreu de morte matada.

Monsenhor esperou que Severino, o sacristão do Diabo, enterrasse o frei. Viu quando ele cavava o chão fervente no devagar e, depois, no ansioso. O sacristão não teria a força de pregação do frei. Povo do Sertão ouve padres doidos. Não ouve pregadores comunistas sem religião. Bem que não ligaria muito se o sacristão Severino tivesse morrido junto. Quando Severino deixou o frei na solidão da cova rasa debaixo da terra quente, monsenhor decidiu iniciar pregação final em cima do túmulo de Inocêncio. Cada vez que se enervava, apertava o pé contra o chão fofo. Era como se quisesse esmagar de vez o corpo do frei. Evitar que revivesse. Perigo sabia que não tinha. Mas melhor é não pecar por omissão.

Salto do sapato afundava no túmulo cada vez mais, tocava no corpo do infiel. Sentiu o pé entrando até o tornozelo na barriga do frei morto. Barriga que no pouco tempo estaria cheia de vermes. Para comer o frei comunista por dentro. Bem que ele deveria de reviver quando vermes recomeçassem o trabalho deles. Ele iria ver os bichos na briga por fazer seu trabalho mais no depressa. Inocêncio, ressuscitado, seguro não ia de entender a briga de urubu com verme. Urubu, no Sertão, cava. Com o bico e os pés pretos. Luta por carniça no fundo da terra. Pena frei Inocêncio estar ali no bem morto. Pena não voltar à vida que nem Jesus Cristo. Pena não ver os vermes brancos que iam de avançar vorazes, multiplicando-se por segundo, dez, cem, mil. Urubus tantos formariam uma nuvem negra. De tempestade no Sertão. Eles iam de vencer. Comeriam os vermes junto com a carniça do frei Inocêncio.

Monsenhor viu os vermes surgirem no de repentemente. Nem esperar o corpo do frei começar a apodrecer aquelas taturanas brancas deram tempo de. De pequenos, viravam grandes num instante. Monsenhor olhava, cabeça torrando ao Sol, os vermes saindo da barriga do frei e subindo pela sua perna gorda. Passavam pelas meias vermelho-arroxeadas dando gastura. Vermes de comunista, comunistas são. Os bichos brancos e macilentos furavam um buraco na virilha dele. Sentiu. Do lado do saco. Estranho comichão.

Monsenhor cavou mais, com a ponta da sola do sapato preto de bico, enquanto sentia os vermes andando no corpo dele. Encontrou o que restou da cabeça de Inocêncio. Olhos de quentura do monsenhor viram os vermes comendo o cérebro do frei. Gritou como possesso. Aqui está. Daqui saem as ideias todas comunistas. Venham, venham, vocês também, assum-pretos de grandeza. Urubus. Os urubus não trabalhavam no Sertão. Mas

Fogo, Cerrado!

comiam e viviam. São passarinhos também. Cristo não disse que pássaros não trabalhavam e, mesmo assim, conseguiam viver? Urubu é um passarinho grande. Pouco difere do assum-preto que gostava de ouvir cantar na janela de sua casa, ao lado da catedral.

Sentiu que urubu pousou no seu ombro direito. Outro pássaro negro agarrou com as garras a cabeça de frei Inocêncio. Tentou voar com ela. Não conseguiu. A cabeça, furada de bala, caiu ali, com os vermes brigando pra comer um lábio e a carne boa das orelhas. Nuvem preta de urubu estava cada vez mais baixa. Seca de três anos na caatinga chegava ao fim. Um urubu de cada lado dele. Faziam um guinchar esquisito. Monsenhor sentiu que bicavam seu olho. Esfregou forte. Teve gastura por causa da ponta rosa e negra do bico entrando em sua bochecha, na ânsia nervosa de fome de pássaro bicho do Sertão.

Por dentro, os vermes. Por fora, os urubus. O céu estava ficando cada vez mais negro. O chão, branco amarelado. Vermes de tantos formavam cobertura na terra-braseiro, como um lençol soprado pelo vento; chuva forte do Sertão; tempestade de raio e trovão; água muita nos rios; farta demais; matando animal e homem na enchente brava; na sepultura de Inocêncio, aquela lameira; lama de menino fazer boi de barro; brincar que nem porco. Já não havia dois corpos ali. Monsenhor olhou para seus próprios braços. Descarniçados. A mão dele procurou pelas mãos do frei.

A caveira do frei se levantou com a ajuda dele. Monsenhor colocou Inocêncio em suas costas. Teve medo de se afogar. Tinha que poder escapar do aguaceiro. Deus é grande! Maior ainda sua boa vontade! Ossos podiam apodrecer se continuasse chovendo assim. Começou a correr. Mesmo com peso dos ossos de Inocêncio. Escorregava em poças d'água lamacentas. Caía e se levantava. Na queda, ouvia-se aquele barulho que só esqueleto pode fazer. Treco-qui-treco.

Monsenhor Fernando viu raio cruzando de junto deles. Iluminou a brancura dos ossos. Brilho maior na cruz de ouro. Fogo de raio provocado também é perigoso pra caveira. Sentiu cheiro de queimado. Como se sua perna de monsenhor tivesse sido atingida. Passou a correr entre as poças d'água com uma perna só. Na direção do carro preto. Gotas d'água, granizo, teimavam em cruzar o corpo vazio de carne. Céu escuro no meio-dia. Ele sentia cada pingo como um baque forte no esqueleto. Pedra de gelo tirava lasca de osso. Dele e de Inocêncio. Sentiu vertigem no precipício que surgiu inesperadamente onde deveria estar o carro com seu motorista. Queda livre até o ar acabar. Depois, na quietice, escutou a chuva parar. E uma voz sussurrar em seu ouvido: Descanse em paz, filho.

Dia seguinte, antes do Sol raiar, corpo do monsenhor Fernando foi encontrado pelo motorista do Chevrolet preto. Homem havia fugido de medo muito ao ouvir o

FOGO, CERRADO!

estalar do tiro que atingiu o frei na cabeça. Monsenhor desceu do Chevrolet para ver melhor. Motorista ligou o carro e apertou o acelerador até o fundo. Monsenhor ficou sozinho naquele fim de mundo. Na quentura de ninguém aguentar. De queimar moleira. Ali morreu. Batina suja. Empoeirada. Olhos abertos. Rosto contraído. Parecia de cansaço muito. Nas costas dele, frei Inocêncio. Os dois caídos longe do lugar da tocaia. No certo, monsenhor ainda tentou salvar o frei. Carregá-lo para o Chevrolet. Os dois corpos estavam juntos das marcas de pneu. Braços de Fernando envolviam as pernas de Inocêncio. Deixando corpo preso às suas costas. Como para que não caísse. Esforço muito naquele calor sufocante. Coração do velho pregador não deve de ter resistido. Rosto cravado no chão seco. Em cima, o frei. Chão cheio de gretas. De formigas pinicando comida farta. De urubus volteando. Baixo.

XXVI

Severino pensou no frei morto no Sertão. Lembrou do amigo na solidão imensa naquele mundo de calor. Enterrado, em cova rasa. O ônibus tinha um pouco muito do Sertão de Inocêncio indo rumo Norte com missão de converter os povos para sua Igreja Operária. Afastou a boca de perto do ouvido do irmão e começou a olhar devagar cada um dos rostos do ônibus. Caras chupadas. Crianças chorando baixinho, sem força de pedir alto. Sabendo que pedir era inútil. Mulheres com peitos muxibentos, caídos. E barrigas prenhes. Homens com vontade de emprenhá-las de novo, ali mesmo, no roça-roça do ônibus com carga em fuga da seca. Nascer mais gente. Gente pra viver dias poucos em anos muitos e trabalhar pra morrer de fome. O desejo de Severino foi atiçado. Lembrou discurso do frei. Queria as mulheres todas bonitas. Com brinco e pó de arroz. Cheirosas. Um dia iam de ficar bonitas. As mais bonitas do mundo. Seria aquela misturidade só ali do Sertão. De preto, índio, mulato e galego. O seu povo ia aprender a olhar o povo do Sul com outro jeito. Olho no olho.

Passou vila, passou menino barrigudo balançando a mão, passou caveira de vaca, passou mulher com filho morrendo, passou enterro de anjinho, passou engenho, passou Casa-grande de Coronel das plantações de cana que um dia ajudou a pôr fogo, passou arremedo de cangaceiro, passou casa sem gente, passou gente em procissão. Não passou festa. Chegando em Maceió estavam. Viagem de tristeza ia terminar. Viagem de anos pelo Sertão da seca chegava ao meio do fim. Viagem pelo verde enganoso da beira de mar. Verde por onde o povo descia tomando o rumo do Sul. Que escondia a tristeza de morte besta. Começaria no logo viagem nova que ia dar no Cerrado dos Gerais. Severino, a mãe e o irmão desceram do ônibus na capital de Alagoas. Não tinham mais dinheiro para seguir viagem de ônibus. Jeito foi vender os braços ao motorista do pau de arara. Ele prometeu levar 62 homens para a Companhia que construía a Rio-Brasília. Faltavam apenas dois para recrutamento. Mãe ia de quebra.

Fogo, Cerrado!

Antes da saída do caminhão coberto de lona, com bancos de taboa, Severino passeou com o irmão e a mãe pelas praias de Maceió. Andaram muito. Foram até a boca do grande rio. Pararam num coqueiral. Severino esqueceu os aperreios da vida. Ficou ali na quietude a olhar jegue carregando balaios de coco. Dormiu. Sua cabeça de sonho passava de Lampião para Padim Ciço, para Antônio Conselheiro e terminava em frei Inocêncio. Acordou vendo gaivota que aparecia e desaparecia, no alto. Olho meio aberto e meio fechado ficou acompanhando o voo. Chegou menino vendendo rolete de cana. Pediu três. Pagou com o relógio dos tempos de mascate. Valor pouco. Atrasava que atrasava. Dinheiro todo dele ficou com o homem das alianças. Moleque, de alegria, desapareceu. Medo de moço mudar de ideia. Doçura de cana. A mãe trouxe pedaço de rapadura.

Tristeza muita. Tristeza por ter deixado Sebastiana, a dama mais sua do Recife. Galego que quase filho já era. E o amigo frei enterrado no Sertão. Onde estaria Sebastiana agora? Com que gringo? Em que pensão? A mulher mais mulher que conheceu na sua vida toda. Doce que nem rolete de cana. Dura e gostosa que nem rapadura. Sua mulher-dama. Lembrou das conversas sem propósito no cais do porto. Conversas gostosas de relembrar. Só ela sabia dos segredos de sem-vergonhice que o homem guarda no mais escondido na hora de.

Coração apertou. Estava aporrinhado. Ficou naquele marasmo deixando uma coisa depois da outra passar pela sua cabeça. Vontade de rever Sebastiana. Ela cabia perfeito naquele pedaço de sombra feita pelos coqueiros na areia fina das praias de Alagoas. Seus corpos ficariam juntos toda uma tarde-noite, toda uma vida. Um dentro do outro, colados. Afastou sonho de não realizar por imaginação sobre o verde do Sul. Verde mais verde que o verde é na beira do mar das Alagoas. Sem fantasma, fome, seca e tropa atrás dele. Ali recomeçaria a luta. Formaria sindicato rural. Liga Camponesa. Do coração do Brasil, quem sabe, poderia formar Exército pela Reforma Agrária. Juntar com metalúrgicos de Betim. Marchar para Brasília. Dar força aos companheiros infiltrados no governo JK.

Dôda era menos ativo. Concordava em tudo o dito por irmão. Mas tinha pouca força no agir. Fez dele missão de proteger Severino. Dasdores, sem marido para ajudar, sentiu o menino querendo sair quando lavava roupa no tanque. Bolsa estourou. Foi de charrete para o hospital. Dor de não aguentar. Não queria filho nascendo ali nos tropeções das ruas de terra. Força deu para segurar cria até chegar ao hospital. Enfermeira atendeu. Chamou parteira. A velha, que ajudou tanta

FOGO, CERRADO!

mulher parir que nem dava não para fazer conta, percebeu criança atravessada. Sentada. Causa disso não tinha vindo ao mundo antes. Chamou médico. Doutor usou os ferros. Fórceps, falaram para ela.

Dôda nasceu bambo de corpo. Cresceu diferente. Ficou sem andar até os cinco anos. Atrás da cabeça, as marcas do grande alicate. Ano depois de ano, mãe levava ao hospital. Médico dizia que nasceu retardado. Dia houve que foi num que só tratava de doenças da cabeça. Consulta rápida. Doutor viu as marcas do ferro. Deu parecer: cérebro foi comprimido. Retardado não é, não! Com ajuda de Severino aprendeu a andar. A nadar. Pai dele de verdade foi Severino. Paciência muita. De não acabar mais. Dôda ficou bom. Jeito de ser dele era diferente. Menino sem maldade. Bondoso.

Dasdores foi contando a história dela e dos filhos, num sem parar, para as comadres, umas que outras companheiras de viagem no pau de arara. Mão-de--vaca. Demorada pra cozinhar. Severino e família eram retirantes diferentes. Não tinham fugido do braseiro. Ideias de política na cabeça. Distinta da dos fazendeiros. Dasdores não gostava do Coronel. Mãe sabia por mãe ser que ele ia matar o filho dela. Mandar matar. Sentiu isso quando povo começou a contar que o Senhor dos Gerais passou a espalhar que Severino era comunista. Não era nascido ali. Estrangeiro.

Ocupante de terra dos outros. Agitador. Dasdores via maldade nos olhos do Coronel.

Vento levava o cheiro da mão-de-vaca para a ponte sobre o Santo Antônio. Não cabia mais gente no barranco. Até Madalena e Zé Carlindo tinham descido do caminhão. Para assistir o jogo. Continuaram no acarinhamento na frente de todos. Madalena, depois de tanta felicidade com o baiano motorista, parece acordar de um sonho. Rio Santo Antônio ainda estava ali, na sua frente. Não tinha se dado conta do tempo passando. Se assustou. Fuga de guerra de nada havia adiantado. Estava ali parada. Como todos, a esperar a chegada dos homens do DNER. Chamados para desentupir a ponte da Rio-Brasília. Só assim poderia seguir viagem para Belo Horizonte. Quem sabe encontrar o menino Tonho e realizar seus sonhos de morar no Mato Grosso, criar família, viver em paz e ter um só homem.

A velha Dasdores, olhos vivos, terminou de contar a história dos seus meninos. Perguntou pelos filhos. Quédi Severino? Quédi Dôda? Comida quase pronta. Faltava só a farofa de jerimum. Recebeu resposta de que Severino escapou, depois do baile, pras bandas da Carvoaria. Com Maria Sarará. Mãe fez: Hum?! Hum?! E que Dôda tinha bebido demais da conta e que devia de estar roncando. A velha fez: Ham! Ham!

FOGO, CERRADO!

Cheiro bom demais quase parava jogo. Multidão de
gente vendo partida da ponte e dos barrancos da Rio-
-Brasília. Gente que sentia cheiro de comida gostosa.
Água na boca. Muita.

XXVII

Madrugada de morte nos Gerais. Zinho e Tonho, vontade enorme de acompanhar o pai e Dolores. Cês vestem calça curta. Não! João acabou no nascer desejo dos meninos. Os dois combinaram de ver os jagunços no trabalho deles. Já tinham assistido Dolores matar o cachorro de nome Corisco. O pai na safadeza com Madalena. Não gostaram nada. Tonho principalmente. Gostava de Mariquinha. Mas muito mais mesmo de Madalena. Este o quarto segredo dele. O escondido até do Coronel. Estava juntando dinheiro no pote para fugir com ela. Ir para o Mato Grosso. Soube, por Dolores, que lá estavam precisando demais de vaqueiro jovem. Preferência para os dos Gerais. Fazendeiros, em busca de terra muita para gado, compraram boas pastagens de mil de milhares de alqueires no Estado.

Combinou tudo com Madalena. Ela fugiria primeiro. No domingo mesmo, dia de matar Severino. Na boleia de um caminhão qualquer. Dormiria com motorista fosse quem fosse. Preço a pagar para os dois estarem juntos, no depois. Marcaram encontro em Belo Horizonte. Em frente à casa do Coronel. Nos altos da Afonso Pena. Madalena conseguiu o endereço em carta que Sinhazinha escreveu para os filhos. Combinaram casamento para em seguida de Tonho conseguir emprego como ajudante de vaqueiro. Madalena pensava com ela mesma: peneirei que peneirei todos os homens que consegui peneirar. Em busca de diamante. Pai dos meus filhos. Achei, Tonho!

Dia clareando. Faltava só a morte de Severino. Tonho e Zinho prepararam esconderijo, na beira do poço, em cima do pé de gameleira. Para assistir o sumiço do corpo. Tiveram receio muito quando pai e Dolores voltearam os olhos para assuntar presença inimiga. Faltou pouco para serem pegos. Aumentaram os cuidados. Barulho de rio e dos bichos fazia parte do silêncio. Quebrado apenas pelos golpes de morte e pelo chuá de água levantada quando jogaram a rede ensanguentada no poço. Corpo de Zinho deu tremedeira. Diabo passou por perto.

A rede afundou deixando rastro de sangue e rebuliço de peixe. Piranha muita. Tonho esperou saída do pai e do Nêgo. Pulou do alto da gameleira nas funduras do poço. Mergulhou como sempre fazia. Desde os sete anos. Corpo de Severino já estava no meio da lama fina. Bagres embaixo. No jeito de esconder e procurar comida deles. Piranhas cercando. Fome muita. Mordiam o pano da rede. Fiapo grudava nos dentes. Nem se importavam. O menino tirou machadinha presa no calção. Corte afiado abriu a rede. Piranhas, serviço facilitado, atacaram como enxame. Rapidez de bote de cobra. Até braço de Tonho levou mordida. Arrancou uma lasca de pele e carne. Estancou com a boca o sangue do machucão. Para evitar novo ataque.

Já sem ar e perigando sofrer perseguição de peixe assassino, subiu para a tona. Desceu de novo. Curiosidade muita. Irmão que vigiava fez sinal do alto da árvore. Não havia perigo à vista. Segundo mergulho demorou pouco demais. Tonho voltou com cara de quem viu assombração medonha. Igual à das histórias do Nêgo Dolores. Não conseguia falar. Parecia mais Eva, a gaginha. Quanto mais nervosa, mais engasgava com as palavras. Fala, homem! Nada. Com nexo. Só quando ouviu fuzuê no curral, Tonho destravou a língua: Mataram o Severino errado. Vi pedaço rasgado da cara do irmão dele. Dôda é o morto. Certeza, sô. Juro. Por mãe. Posso cair morto agora. Raio me atingir. É! Olho pulado para fora. Sangue saindo do nariz. Da boca. Dos buchos. Retalhado. Piranha atacando. Tudo de vez.

Zinho não pôs fé no irmão. Não havia jeito de pai e Dolor se enganarem. Quis mergulhar. Tonho agarrou ele pela cacunda. Faz isso não, sô. Se você pular na água, piranha vai te matar também. Esfomeadas como estão, atacam o que cair lá dentro. Oó, meu braço! Nunca mais você vai dormir. Se ver o corpo. Perto de virar caveira. Vamos voltar pra casa. Contar para o Coronel. Pai e Nêgo fizeram o trabalho errado. Risco de ataque de Severino aumentava. Ia dar falta do irmão Dôda. Desconfiar do Coronel. Iniciar guerra de matança do povo dele.

Tonho estava ruim da cabeça. Moleira fraca. Mais branco que o de sempre. Machucão da piranha. Perdeu muito sangue. Coração disparado. Respirar apressado. Confabularam. Tomaram decisão de ser, no agora, ja-gunços. Caçar e matar Severino. Salvar Nêgo e Pai. Salvar o Coronel do comunista. Salvar a terra deles. Mãe, a comida, os bichos. Aquele povo do acampamento mais parecia manada imensa de gado. Precisavam de pasto muito. Comiam como gafanhoto. Fome apertava, não matavam só garrote. Entravam nas beiras de córrego. Marcavam lugar de bicho beber água. Matavam para matar a fome. Veado-mateiro, cateto, paca e cutia. Jogavam dinamite nas águas do Santo Antônio. Bomba explodia. Peixaria boiava. Pequeno, grande. De cascudo a surubim. Cercavam o rio com rede. Encantoavam peixe na beira. Matavam na paulada. O Cerrado, com a chegada do povo do acampamento, estava ficando mais triste. Mais silencioso. Despovoado de bicho ani-mal. Os meninos viram, sabiam. Não era só garrote que

FOGO, CERRADO!

desaparecia. Povo do acampamento e povo carvoeiro, garrados juntos, iam de acabar com o Cerrado. De vez.

Severino chegou ao poço bem na hora que Tonho contava, para o irmão, visão medonha que tinha visto. Se arrastou para debaixo da gameleira. Apurou o ouvido. Corpo começou tremedeira quando ouviu menino falar do ataque das piranhas ao corpo do irmão Dôda. Doeu nele. Fundo. Abocanhavam todos os cantos do corpo de Dôda. Sentia faísca. Choque. A cada mordida. Pensamento besta este. Invenção pura. Dos jaguncinhos. Dôda dormia na rede. Bebeu muito. Foi ver.

Ao acabar namoro sem-fim com Maria, a prima sarará, voltou para a casa. Queria muito jogar futebol. Mesmo arrebentado de tanto prazer. Sete foram. Viu a plateia nos barrancos de um lado e do outro da ponte. Torcendo e gritando. Um time era o Fluminense de Telê e, o outro, o Botafogo de Nilton Santos. Severino sentiu emoção grande. Estava feliz depois de dormir com a prima. E pronto para comer prato de caminhoneiro de mão-de-vaca. Dôda de um lado, mãe na ponta da mesa e ele do outro. Melhor cheiro de comida nunca havia sentido. Alegria muita acabou quando não encontrou Dôda dormindo no quarto. Nem mesmo a rede estava pendurada no lugar em que sempre esteve. Pressentiu acontecimento ruim. Mau presságio. Havia marcas de sangue no quarto. Grossos pingos de sangue faziam trilha, que o conduziu até o poço fundo. Na beirada do rio, já um riozinho vermelho. No quase seco.

Narração dos filhos de João Cândido fez confirmar a morte. Severino segurou raiva muita. Quis matar os meninos. Jaguncinhos. Ali mesmo, no agora. Herdeiros do matador do irmão dele. Decidiu que vingança seria maior. Cabulosa. Ele era um cabra. Os Gerais iam conhecer o que essa palavra queria dizer. Severino deixou a beira do poço deslizando o corpo pelo capim molhado. Cobra do sertão-caatinga. Povo dele já estava reunido. No campo de futebol. Os mais jovens e fortes. Era só dar ordem de ataque à Casa-grande. De passagem, matar os jagunços.

Severino pensou no como mataram o irmão dele. Imaginou continuação do relato. Como se história contada por Dôda fosse: "Minha sina era a de defender Severino, meu irmão. Foi assim no Recife, nos tempos dos mascates. Seria assim pra sempre, se não sentisse gosto da morte quando o facão de João Cândido veio zunindo e entrou em minha carne. Nem gritar podia. Tinha a boca cheia de trapos com sangue seco. Levei tiro no ombro e decidi ficar quieto no saco-rede para capangas pensarem que estava morto. Mas, de repente, veio aquele zuim. E o facão amolado cortou fundo. Deu gastura quando entrou atravessado. Abriu um rasgo no meu corpo. Da barriga até a perna. Fiz um esforço último para sair. Mas outro golpe e outro...

seguidos. Golpes de jagunços treinados na arte da morte mandada pelo Coronel." Severino ouviu, como se de verdade fosse, relato de Dôda. Feito baixinho, ao pé do ouvido dele. Com quando estavam viajando no ônibus de Recife para Maceió.

Se arrastou no mais depressa. Deixou os meninos em cima da árvore. Vingança tomou conta do coração dele. Pressa de fazer logo a Reforma Agrária. Bastavam as peixeiras de seu povo para acabar com a vida dos inimigos. Uns iam de tombar pelo meio do caminho por causa dos tiros dos jagunços. No final, vitória fácil. Começo da grande mudança. Morte de Dôda e de Inocêncio, mesmo que necessárias, acabariam sendo vingadas. Corpo do irmão ficou para trás. Num dos rios do Sul. No poço escuro do Santo Antônio. Cova profunda. Sentiu aflição quando pensou nas mordidas que piranhas nesta hora mesmo davam no que restou do corpo de Dôda.

Nos Gerais, de rios fartos, corria agora sangue do irmão. Água tingida de vermelho forte, de urucum. Da cor de Sol da caatinga anunciando falta de chuva. Morto por ele. Morto por causa dele. Rios das Minas Gerais. Limpos e claros, alguns. Rios que correm matreiros entre pedras; que cortam a terra-areia vermelha; que brincam de cachoeiras; que guardam piaus, dourados e bagres; e de água fria em Sol quente. Rios que corriam para o São Francisco. Chefe Maior dos rios, o São Francisco, iria receber o sangue de Dôda.

Raiva de Severino pela morte do irmão era extravagante. Demais. De que valia aquela fartura de água? Água de beber hora inteira e de ter vontade de ficar ali pra sempre. Fartura mais besta. Se felicidade havia, era água de beber de barriga encostando o chão de beira de rio limpo. De córrego. Como animal do Cerrado. Como cavalo que enfiava focinho e bebia num sem parar. Severino gostava de beber deitado, chapéu de couro pra trás. Chupando aquele gozo de água. Nunca mais teria prazer mais grande de beber nos rios dos Gerais. Estavam manchados com o sangue do irmão. Ou não? Vinho consagrado? A redenção do povo.

Pelos dos braços de Tonho e Zinho arrupiaram quando descobriram Severino se arrastando como cobra. Ainda perto do pé da gameleira. Na certeza ouviu relato da descoberta durante mergulho de Tonho. Das piranhas atacando feroz e doidamente o irmão dele. Sabiam porque Severino procurou por eles. Achou e olhou para os dois com olhos de vingança. Prenderam a respiração. Para não atiçar aquele bicho-homem. Possuidor de ódio bem maior do que o de bicho animal. Severino não atacou. Primeiro ia de matar João Cândido e Nêgo Dolores. E Coronel e todos aqueles que fossem contra a sua Reforma Agrária.

Antes de Severino rumar para o acampamento, tiveram pressentimento de cascavel armando bote. Mortal. E sem dar aviso com o chocalho. Quietamente,

Fogo, Cerrado!

com olhos de Zefina, seguiram os movimentos de Severino. Desceram da árvore como macacos. Se esconderam na ribanceira do rio. Quando ele entrou rápido no mato, Tonho colocou ouvido no chão. Aprendeu nos gibis. Com os índios. Para saber distância exata da caça. Ruído de ninguém ouvir arranhou de leve as orelhas dele grudadas na terra. Barulho da corrente de água do rio confundia os cálculos. Pegou machadinha. Ganhou confiança. Severino ainda estava bem perto. Tudo passou muito no depressa.

Tonho levantou a cabeça por cima do barranco do rio. Viu balançar de touceira de meloso. Falou calado para o irmão. Com a mão, pedindo para ir atrás dele. Fez jeito de andar de onça. Severino era diferente no se arrastar. Rápido. Mas desajeitado. Tonho tomou pressa. Aquele era o quintal dele. Conhecia cada ramo de assa-peixe. Trilha onde levava. Buraco de tatu. De cobra. Escondeu atrás de um cupinzeiro. Viu Severino engatinhando, tomando o rumo do acampamento. Apontou para Zinho ir por um lado. Ele iria pelo outro. Montou plano.

Quando chegou ao cercado da horta da mãe, Tonho falou para ele mesmo um fié-da-puta. Com força toda lançou machadinha na direção do inimigo. Vento da arma fez zuim no pescoço de Severino. Não pegou. Um tris. Deixou só marca de arranhão, como se unha de gato fosse. Apurou o passo. Depois de susto de dar dor de barriga. Desviou da horta. Buscou novo caminho para chegar ao acampamento. Juntar gente. Seu povo. Sofrido. Dar ordem de ataque. Matar Coronel, mulher dele, jagunços, Zefina e aqueles meninos. E quem mais fosse contra o ficar deles naquelas terras de água muita. Desaproveitada. De um homem só. Se arrependeu por não ter começado por Tonho e Zinho. Agora, ali estavam os dois atrapalhando seus planos de ataque final. Morte de Dôda. O estopim. A chispa. Irmão admirado por seu povo. Demais. Homem bom. Sincero. Honesto. Trabalhador. Quando soubessem da morte dele, começariam na hora a tomada da terra. Fim do Coronel e de seus jagunços.

Tonho e Zinho estavam no início da caçada. Cortaram caminho de Severino para o acampamento. Obrigaram a dar volta. Entrar no pastim. Cada vez que ele fazia menção de rumar para o acampamento, sentia o cerco. Pensou em João Cândido e Dolores. Deviam de ter reconhecido erro. Viram ele ir em direção ao curral. Perseguição de morte. Machadinha de Tonho, quase fatal, era prova de. Severino desarmado. Faca de ponta ficou no forno da carvoaria. Sentiu raiva imensa. Irmão morreu por ele. Não devia de ter ficado tanto tempo com a Sarará. Mulher era a perdição. Impossível não ir atrás de rabo de saia. Feitiço.

Sabia que Dôda tinha passado da conta na bebida. Pinga ruim. De beira de estrada. Cabeça rodava. Ia de um lado para outro. Queria ter faca de ponta. Só uma

Fogo, Cerrado!

arma para acabar com o inimigo. Desarmado, obrigação escapar. Fugir. No agora. No depois, juntar seu povo todo para acabar com a raça de latifundiários e de capachos. Ia de colocar querosene na roupa deles todos. Tacar fogo. Queria sentir o cheiro da carne do Coronel. E ver sua gente tomando conta daquelas bandas. Os meninos não deixavam Severino realizar seus planos. De modo algum. Ganharam coragem. Lembrança de treinamento era de serventia muita. Matar Severino para não morrer. Obrigação de homens. Que eram.

Mãos de Severino começaram a sangrar. Braços rasparam pé de urtiga. Empolaram. Feio. Conhecimento dele era do acampamento e da rodovia. Nunca campeou. Voltar no logo para seu povo era salvação única. Vingar o irmão. Botar Coronel de joelhos. Fazer ele comer terra. Sufocar com a areia. Obrigar engolir. Sem gota de água. Afundar a cabeça do homem no poço. Ir segurando no muito. Soltando só no antes dele morrer quase.

João Cândido ia de sofrer igual. Com o facão próprio do jagunço, retalharia o branquicelo devagar. Junto do jirau. Colocaria a carne ainda viva para secar. Com ele vendo. Nêgo ia receber ordem de salgar. Gemeção pavorosa. De dor maior do que a existente no fogo do inferno. Viu o jagunço lendo que lendo. Sofrimento dele ia ser primeiro na cabeça. Depois ia ver as terras ocupadas. Casa-grande com seu povo dentro. Feliz da vida. Animais mudando de dono. Ele em cima do cavalo Ventania.

Dando as ordens. Dolores num ia de aguentar. Tentaria suicídio. Ele não iria deixar. Virou o rosto no de repente. Viu dois vultos se escondendo. Eram os jaguncinhos. Perigosos. Seriam os primeiros que amarraria no pau da fogueira. Pai deles olhando. Morte devagar. Carne queimando. Merecimento tinham de. Ódio infinito. Coração de Severino não tinha lugar para perdão.

Ficou mais difícil ouvir o barulho do jogo. Apito de juiz. Não entendia dizer do grito das torcidas. Severino apurou ouvido. Só deu para escutar festa de gol. Muito ao longe. Mais um! Mais um! Sentiu restinho de cheiro de mão-de-vaca. Tentou voltar. Ouviu o trac-trac bem ao seu lado. Cotovelos também abriram ferida. Começaram a arder. Sentiu frio. Corpo tremendo. Capão de mato fechado. Possibilidade maior de escapar. No silêncio da mata sons eram outros. Desacostumados dos ouvidos dele. Macacos dando aviso. Grito longo. Feio. Uivo de lobo. Chocalho de cascavel. Arrastar de jararacuçu. Guinchos de sagui. Rosnar. Onça ou jaguatirica. Decidiu levantar-se. Esconder detrás das árvores. Tonho e Zinho seguiam do lado. Encantoando. Com paciência muita. Empurrando ele até lugar conveniente. Para o abate.

O Cerrado profundo era mais perigoso. Para Severino. Zinho pegou embira. Severino, tropeçando, morte mais fácil. Pensou em enforcar o homem. Matar antes que Tonho. Para mostrar valentia. Conseguir tomar Mariquinha do irmão, quem sabe? Receber o

Fogo, Cerrado!

facão, a binga, as esporas e o arreio do pai. De herança. Virar o chefe dos jagunços. Tonho não pensava em nada. Olhos dele estavam que nem os de Zefina. Grudados em Severino. Tentando descobrir próximos movimentos do inimigo. Viver no Cerrado exigia o conhecer seguinte pensamento dos outros. Para atacar no antes. Ou correr. Sobreviver.

Chefe do acampamento achou trilha no meio do mato. Arriscar. Saída única. Aquela agonia de inimigo cercando e cercando incomodava. Era a caça. Bem pior não achar esconderijo. Seguro. Ou jeito de escapulir. Meninos eram bichos de pau. Calangos. Conseguiam ficar da cor do Sertão Cerrado. Disfarçar. Aprendizes do jagunceio. Frio mais forte dentro do capão. Camisa rasgada. Costas arranhadas. Braços inchando por causa de veneno muito de urtiga. Espinhos traiçoeiros por todos os cantos. Tentou andar mais depressa. Pior. Parecia caminhar direto para o colo dos homens-meninos do Coronel.

Tonho estava colado em Severino. Sem ser notado. Quase que podia ouvir o fungar agonioso e nervoso do inimigo. Sentiu o cheiro doce de sangue. Diferença de bicho homem para bicho animal é pouca e muita. Pai falou. Bicho homem sabe o que o outro vai fazer. Usa a cabeça. Severino não conhecia o Cerradão. Tonho sabia disso. Vantagem. Era jaguatirica com preá debaixo da garra. Brincava com o rato do mato antes de matar.

Severino usou força final para iniciar carreira pela trilha. Desembestou. Bateu a cabeça num galho seco. Tonteou. Recuperou-se. Escapar de ponta de pau não dava tempo de. Rasgou as calças num pé de araçá. Voltou a ouvir, ao longe, gritaria pras bandas do acampamento. Tomou alento. Correr no demais ou morrer. Tropeçou feio na embira. Armadilha de Zinho. O menino voou sobre Severino. Outro pedaço de embira procurava pelo seu pescoço. Canseira muita. Um dos inimigos estava em cima de suas costas. Pronto para enforcá-lo. Usou resto de força para empinar que nem cavalo. Jogou Zinho para o alto. Disparou a correr. De novo.

Tonho acompanhou tudo. De pertinho. Do lado. Decidiu não ajudar Zinho. Viver é adivinhar traição. Até de parente. Percebeu esperteza do irmão. Ganhar o lugar do pai. Queria. Certeza! Não calculou força muita do comunista. Zinho tretou com ele. Que ficasse estatelado no meio da capoeira. Irmão bateu forte a nuca em tronco de árvore. Corpo dele fazia movimento nenhum. Tonho nem foi ver se ainda estava vivo. Traidor, mesmo o nascido da mesma barriga, não merecia compaixão. Vai ver discórdia começou já nas entranhas da mãe. Pais eram diferentes. Lembrou-se dos filhotes de gavião carrapateiro que viviam no despenhadeiro-paredão perto da casa de Sá Joana. Fêmea botou dois ovos. Nenhum gorou. Duas semanas depois de nascidos, o maior, mais forte, matou o irmão

FOGO, CERRADO!

mais fraquinho. Mirrado. Pai e mãe nem se importaram. Só um para dar de comer. Melhor, até!

Decidiu deixar Severino perder força toda. Correr sem pensar. Nem respirar direito podia. Dava linha para o peixe. Deixar ele se cansar. Depois, puxar a linha. Dourado era assim. Força tinha para rebocar até barco. Força que era sentença de morte assinada. Pedaço da Rio-Brasília já dava para ver. E um mundaréu de gente em cima da ponte. Cheiro de mão-de-vaca incomodava o menino. Dava força a Severino. Sinal de que povo dele estava mais perto. Os dois entraram de volta no pastim. Tonho não tinha mais onde tocaiar. Nem Zinho para encantoar. Levar Severino de volta para o cerradão. Severino já correndo de quatro, como macaco, olhou para trás. Viu Tonho quase ao lado. Menino novo. Nem parecia cansado. E aquela machadinha mortal na mão. Atravessou o colchete de arame farpado por baixo. Fez mais um rasgão fundo nas costas. Passou pelo curral e entrou na estrada que ia direto para o campo de futebol.

Severino conseguiu o que queria: abrigo no acampamento. Ali estava seu povo. Os espinhos do Cerrado, os de juá espalhados por todos os cantos, rasgaram roupa e pele dele. Limpou suor e sangue do rosto. Com resto de camisa. Trapo. Lembrou-se de Cristo. Coronel estava errado. Nunca foi comunista. Comunista era ateu. Materialista. Ele, não. Acreditava em Deus. Era católico. Progressista, Inocêncio explicou. Canseira.

Não queria enfrentar filho de jagunço assim. Desarmado. Estropiado. Cerrado era território dele. Nasceu ali. Conhecia capoeiras e campos. Cada palmo de terra. Os espinhos e os bichos. Todos. Diferente da caatinga. Mandacaru. Cada poço d'água em tempos de seca muita. Fácil de achar. Água salobra. Diferente da do Santo Antônio. Lugar de ficar. Dividir as terras do Coronel. Construir Vila. Tonho errou muito. Não aproveitou o meio da mata para dar cabo dele. Teve oportunidade. Das boas.

Queria ter nascido no Cerrado. Como Tonho. Ficou bravo com ele mesmo. Devia de ter aproveitado tempo de construção da ponte para conhecer os segredos daquele Sertão. Quase perdeu a vista. Andando como cobra. Capim com serrote cortou lado da cara. Cidreira? A morte do irmão embaralhava os pensamentos. Jeito nenhum de pegar atenção só no menino jagunço. Gostava no demais do irmão. Pior rasgão era o feito dentro da cabeça. Culpa. Sem comparação com aquele outro rasgão, o do passar por baixo de cerca de arame farpado. Abriu corte desde a nuca até o começo da bunda. Sangue entrou pelo rego, ensopou calça. No parar para respirar, deixava poça vermelha. E pingos de sangue marcando a trilha. Tinha sede. Muita. E frio. De fraqueza. De febre.

Aquele moleque parecia mais filhote de onça desmamado. Caçando primeira caça. Viu o menino quando cruzou de uma toça de capim para outra. Nenhum

FOGO, CERRADO!

machucão. Não escutou barulho de respirar. Imagem contada do irmão no fundo do poço ia e vinha. Num sem parar. Entrar no acampamento. Salvação única. Levou Tonho para a boca da arapuca. Ia cair preso quando chegasse ao campo de futebol. Onde devia de estar agora. Se não tivesse dormido com Maria, a prima sarará. Largado irmão sozinho. Pressentiu que Coronel armava o bote. Final. Com suas duas cobras. Cândido e Dolores. Mais perigosos que jararacuçu.

Esqueceu do irmão no de propósito? Irmão morto num ia de fazer diferença na guerra contra o Senhor dos Gerais. Ele, sim. Povo não existe sem líder. Palavra de Inocêncio. Só animal era capaz de fazer coisa dessas. Ele não era bicho. Consciência pesava. Fazia corpo dele ficar molengo. Ismorecido. Culpa de Severino diminuiu. Era mesmo melhor ele estar vivo e, não, Dôda. Irmão mártir. Da Revolução. Morreu por necessidade de manter vida do líder de seu povo. Pensar com coração nunca deu certo. Bem melhor para a Reforma Agrária vingar seria a morte de Dôda. A luta tinha como continuar. Decidiu dedicar vitória final ao irmão. Herói da Pátria. Mãe Dasdores nem ninguém mais saberia segredo dele. Tinha ciência do ataque. Pressentiu. Deixou Dôda morrer por ele. Pela causa. Como ensinou frei Inocêncio. Era isso que o irmão dele mais queria. Repetia que repetia desejo de proteger com a vida própria a vida de Severino. Aconteceu. Corpo dele arrupiou ao ver o menino chegar cada vez mais perto. Esforço muito carecia para alcançar o campinho.

Tonho viu que o comunista não ia de aguentar mais muito. Perdia sangue. Como garrote com pescoço aberto por garra afiada de onça. Sua vontade de matar foi num crescendo. A cabeça dele estava fria. Sem outro pensamento. Severino, fié-da-mãe, sua hora chegou! Falou para ele mesmo engrossando a voz. Ouviu zoeira mais perto. De jogo e de confusão de gente na Rio-Brasília. Tencionava pegar o chefe do povo do acampamento antes dele cruzar o colchete. Sair do pastim, ganhar estrada para as casas bonitas construídas pela Companhia. Perdeu chance. Não obedeceu a Lei da Vida. É encrenca. Refugou. Como cavalo ao cheirar cheiro de cobra.

O comunistinha estava levando ele para uma arapuca. Se caísse, estava lascado. Pensou em pedir ajuda a Nêgo Dolores. Pode não ser mais tarefa para meu bico. Queria muito, no depois, ganhar dois contos de réis. Ser vaqueiro e jagunço. No lugar do pai. Ou em outra fazenda. Perto de Campo Grande. Com Madalena de mulher. E penca de filhos. Estrada nova trouxe coronéis outros para os Gerais. Jeito não havia de voltar. Abriram com a rodovia a porteira do coração do Cerrado. Estouro de bicho-
-homem. Num sem parar mais. Apertou espora nele mesmo. Para marchar sem medo. Tinha o mesmo cabedal do cavalo garanhão. Conhecia. Coragem era jeito único

FOGO, CERRADO!

de bicho-homem viver. Quando erro no prever ação de inimigo falhasse. Caso dele.

Quanto mais sangue esguichava, mais frio sentia. Severino não conseguia mais ver o menino jagunço. Sangue e suor tapavam os olhos. Andava no escuro. Teve medo de não estar indo direto para o campo de futebol. Cheiro de mão-de-vaca e gritaria de torcida eram seu guia. Tonho vinha atrás. Perigosamente perto. Menino, no antes, deixou ele ganhar distância. Para cansar. Agora, sabia que era hora de dar o bote. Viu a machadinha. Brilhava contra o Sol friorento da manhã. Corte afiado. Teve tempo que gostava de ver o jaguncinho treinando jogar a arma em pé de paineira. Afastava e jogava. Afastava e jogava. Sem parar nunca. Se não fincava no tronco da árvore, ficava ali num sem-fim de tempo. Treinando. Até ter ciência certa da distância e da força. Dia depois de dia.

Povo do acampamento contou que Tonho e o irmão mataram garrote. No muque. Severino sentiu fraqueza nas batatas das pernas. Vontade de sentar no meio da estradinha e pedir: me mate logo seu desgraçado. Brigar para povo viver melhor era missão que botou na cabeça. Povo do acampamento apoiava. Cobiçando terra de graça. Teve dúvida. Por quê? Para quem lutar? Pensava e repensava como velho sistemático. Depois da Reforma Agrária nas terras da Fazenda Santo Antônio, cada qual do povo dele ia de virar um pequeno Coronel. Ia não?

Tonho não podia mais dar corda para Severino. O acampamento estava perto. Demais. Cheiro forte de comida. Gritaria de doer ouvido. Tomou decisão de atacar. Preparou a machadinha. Severino ouviu o respirar mais forte do menino em sua cacunda. Estava muito perto. Demais. Não sabia se ele ia jogar a arma com a força toda dele. Ou dar um golpe só. Direto. Severino pensou no irmão. Pensou nos tempos duros de mascate. Na romaria pelo Sertão seco. Em Inocêncio. Na Reforma Agrária. Ganhou força que não tinha. Morrer não ia. Também não ia de aceitar o povo do acampamento matar o menino. Ele queria ter este prazer todo. Com proteção de seu povo ia enfrentar o pequeno jagunço. E matá-lo. Começo da mudança na terra dos latifundiários.

Tonho arregalou os olhos. Severino, de derrotado que estava, escapou no supetão. E garrou a correr de novo. Podia escafeder-se metido entre seu povo. O cheiro de mocotó devia de ter ajudado ele. Hora de ter matado era no Cerrado. Serviço de morte não pode esperar não. Treinamento com bichos devia ter ensinado segredo este. Preferiu não matar em território dele conhecido. Agora, para evitar erro, quanto mais perto, melhor. Coronel poderia ver. Pai e Dolores nunca mais mangariam dele. Sairia para Mato Grosso com a cabeça alta. Dever de homem cumprido.

O menino apressou o passo. Perigava ser tarde. O fié- -da-puta desembestou a correr. Parecia veado-campeiro

FOGO, CERRADO!

ferido escapando de onça-pintada. Não escapa. Nunca. Ligeireza de Tonho era maior. Pai decidia matar porco e mandava o filho pegar. Leitão disparava. Ele, mais ainda. Como Ventania. Como ventania forte no antes da tempestade. De raio matador de vaca no pasto. Debaixo de árvore. Encantoaria Severino. Agarraria o comunista pelas patas traseiras. E entregaria, cheio de si, para o pai. Severino entrou, numa correria enlouquecida, na rua poeirenta da vila.

As casas do acampamento apareceram diante de Tonho. Num de repente. Perseguição dá cegueira no em volta. Pegou atenção muita na caça. Esqueceu dos detalhes. Tomou susto grande. Como se tivesse visto fantasma. Ouviu o grito falta nele. Para o jogo. Tinha que atirar a machadinha logo. Problema que Severino não estava fincado no chão. Como paineira. Calculou a força. Distância pouca. Não podia errar. A machadinha fez zuim-shuim ao cortar o ar. Direção certeira da cabeça de Severino. Bicho do Norte sentiu a morte chegando. Negaceou. Jogou o corpo para um lado. Um quê de nada. Suficiente. Como touro escapando de laço certeiro de João Cândido. Machadinha bateu na parede de madeira da primeira casa do acampamento. Entrou fundo. Destino errado. Se certo, cabeça de Severino estaria partida em dois. Como coco aberto pelo facão do Pai. Tonho pegou a arma de volta. Com dificuldade. Disgramado. Bocó, sou. Treinei em pau parado. Com bicho macaco devia de ter sido. Ou raposa.

Severino, aliviado depois de ver a morte de perto pela segunda vez naquela manhã, correu com força toda. Estancou no meio do campo de futebol. Vista escura. Jogo parou. Caras de espanto dos jogadores. Severino deveria mesmo é estar remoçado e feliz depois de tanto dormir com Maria Sarará. Não estava. Mais parecia um espantalho mulambento. Sangue saía do corpo todo. Quase. Espanto aumentou no demais quando perceberam filho de João Cândido vindo atrás, correndo em disparada, machadinha na mão, querendo matar Severino. Como se não tivesse vendo nada em volta. Cego para os jogadores. Para o onde estava. Olhos fixos em Severino. Meio caído. Trombou no primeiro jogador que, no de propósito, atravessou a frente sua. Peixeiras apareceram. Saíram de dentro das bainhas coladas no saco. Aquela gente não ia de deixar que matasse Severino. Se deu conta. A primeira facada passou de junto de seu pescoço. Não tinha escapatória. Caiu ao levar rasteira. Levantou num pulo. Outra peixeira veio voando na direção dele. Rumo do coração. Menino sabia que era leve demais. Diferente de sua machadinha. Desviou. Imensidão de gente. Multidão pronta para matá-lo.

Na Rio-Brasília, outra multidão assistia sem entender o porquê dos jogadores correrem, armados de faca, atrás do menino. Não tenho asa que nem perdiz. Pato de lagoa. Martim-pescador. Voar não havia como. Vou morrer. Como jagunço. Pés de capoeira vieram voando para cima

Fogo, Cerrado!

dele. Um pegou a cabeça. Tonteou. Caiu. Na queda, ficou de barriga para cima. Viu o rosto de Madalena no alto da ponte. Estava cumprindo o combinado. Achou caminhoneiro para levá-la a Belo Horizonte, onde se encontrariam. Não queria ter duas mulheres. Só mesmo Madalena, a melhor de todas. Sem comparação. Bicho do Cerrado. Visão de Madalena nua e só sua, eternamente, fez Tonho desistir da morte. Mulheres faziam a vida valer a pena. Rodou no ar a machadinha. Roda de monjolo. Com queda-d'água forte. Girando. Girando. Povo do acampamento recuou. Rinha de galo de briga. Um contra todos. Peixeira entrou rasgando a barriga de um menino já crescido. Que nem ele. Abusado. Sangue espirrou. Povo do acampamento ganhou raiva muita. Tonho era jaguatirica acuada. Morte certa teria. Mas garra afiada, machadinha de índio, rasgaria outros daquele povo.

Um jogador segurou o braço dele. Deu arrancão. Tonho caiu. Outra mão ficou presa. Um enxame, como abelha africana, o atacava. Picando doído. Alguém sentou em cima da barriga. Ficou preso. Terceiro segurou as pernas. Nunca sentiu tanta agonia. Pássaro-preto preso recente na gaiola. Batia cabeça no arame. Perdia pena. Voltava a se arremessar. Jeito nenhum dava de escapar. Força nenhuma ia de salvá-lo daquela gente. De repente, um grito pavoroso. Como só bugio sabia dar. Saiu da boca de Severino. Estava de joelhos. Fazendo força para ficar de pé. Gritou de novo. Jogador em cima da barriga de Tonho fez pergunta: mata de vez ou retalho e salgo ainda vivo? Severino respondeu no grito. Esta é a minha briga! Só minha. Traz ele aqui. Jogaram Tonho ao lado de Severino. Bem no meio do campo. No grande círculo. Marcado com cal. Jogadores fizeram roda em volta. Galos-índios. De raça pura. Lutariam sem parar. Até um deles morrer.

Povo na plateia ficou agitado. Madalena quis descer. Salvar Tonho. Zé Carlindo deixou não. Começaram briga feia. O motorista levou Madalena para a boleia, onde ficou presa. Trancafiada. Caminhoneiros evitaram tomar partido. Não temos nada com isso. Não havia motivo para. Gente empresária e política, a caminho de Brasília, nada entendia do que estava vendo. Torcida que era para jogo de futebol passou para rinha. De luta até um morrer. Lugar não havia para desistência. Esporões eram machadinha e faca de ponta, afiadas. Armas. Fatais. Nagib aproveitou para incentivar apostas. Vinte por cento eram para a banca. Mulheres muitas na beira da estrada, que nunca haviam visto morte de gente por morte matada, viravam o rosto. Uma que outra assistia. Resmungando. Contra a selvageria. Daqueles povos brutos e assassinos.

Machadinha devolveram para Tonho. Facas de ponta deram para Severino. Teve oferta de muitas peixeiras. Aceitou só uma. O menino sentia que o ar estava no acabar. Força quase toda perdeu quando foi picado pelos

Fogo, Cerrado!

jogadores. Do povo do acampamento. Decidiu atacar primeiro. Como beija-flor faz. Se Severino fosse para trás, continuava atacando. Se respondesse, refugava. Braço do menino chegava a dois metros. Com cabo da machadinha. Atacou com golpe cruzado. De baixo para cima. Severino deu pulo para trás. Teve tempo para descansar, seu fié-das-unha. Espaço pouco. Tonho sentiu vontade de acabar logo com a briga. Olhou para Madalena. No longe. Na ponte. De dentro da boleia, ela cruzou os braços sobre os peitos e abaixou a cabeça. Sentiu resposta: estamos juntos. Tico de desatenção. Severino aproveitou para contra-atacar. Defendeu golpe com o braço bobo. Sentiu a faca cortando a carne. Fundo. Dor imensa quando a lâmina raspou o osso. Perto do cotovelo. Gastura. Severino avançou como animal faminto. Como ariranha. Perigosa. Das que viviam na beira da cachoeira do Santo Antônio. Ou piranha. Severino queria doidamente salgar aquela carne. Cheiro de sangue de filho de jagunço dava nele infinita vontade de matar.

Tonho olhou dentro dos olhos dele. Bem lá no fundo. Viu que perdeu o medo de antes. Olhos de gavião. Maus. Faca de ponta cada vez mais perto. Rumo do coração. Aprendeu a ser arisco como o Cerrado. Curvou o corpo para trás. Para escapar. Peixeira fez uma marca no peito do jagunço aprendiz. Rasgão. Tomou decisão. Desarmar o inimigo. Mirou na faca. Severino esperava que golpe viesse direto na cabeça. Machadinha pegou forte na peixeira. Arma de Severino caiu no chão. Silêncio doía o ouvido. Povo em volta, povo da carvoaria, povo da roça, povo escolhido, povo da Rio-Brasília. Todos se aquietaram. Emudeceram. Os jogadores fizeram menção de atacar Tonho. Severino deu novo mugido de bugio.

Severino tinha experiência de outras guerras muitas. Confiança no que aprendeu. Provar ao seu povo coragem devia de. Mostrar que redimiria o irmão comido pelas piranhas. Dentes aguçados, pequenos e em fileira, mordendo o que restou dos olhos de quem mais o protegeu no mundo. Ofertando até a própria vida. As esfomeadas já deviam de ter comido tudo. Rasca do tacho estavam. Boi de piranha. Dôda. Causa da Reforma Agrária era maior. Rezou baixinho. Estava muito fraco. Sangue pouco nas veias. Caminho melhor é trocar a vida pela Reforma Agrária. Povo do acampamento veria exemplo. Outros povos do Brasil. Vale a pena morrer como os mártires do tempo do Cristo. Como Tiradentes. Morrer dá força sem-fim a uma ideia. Um pensamento. Não importando qual seja. Certo. Ou errado.

Se morto, fantasma dele estaria grudado no pé de cada Coronel. Para meter medo. O espírito, ao lado do povo do acampamento. Dando força. Se optasse por viver, saberia acostumar-se com a ideia de que Dôda morreu por conta dele. Não se importava que outros morressem. Parte da guerra. Irmão dele, família, até ele mesmo podia pagar com vida própria. Decisão de deixar o menino

Fogo, Cerrado!

matá-lo ali no meio do campo era maior do que a de viver. Vontade de morrer foi num crescendo na cabeça dele. Só não queria que Tonho percebesse. Podia mudar de opinião. Se ele não morresse e matasse o menino jagunço, polícia de tudo quanto é cidades das redondezas chegaria ao acampamento. Para prender seu povo. Expulsar do acampamento de uma vez por todas. Se Tonho o matasse, situação poderia ser o reverso. Povo dele teria motivo real para se rebelar. Reagir. Matar o Coronel. Iniciar Reforma Agrária.

Tonho prestava atenção toda nos olhos do inimigo. Mirava firme. Fixo. Se sinal de fraqueza visse, atacava. Bote mortal. Rosto de Severino estava contraído. Perto de tomar decisão. Necessidade muita de não deixar ser pego de surpresa. Severino não levou ele para a arapuca do acampamento só para evitar morte no Capão. Queria humilhar filho de vaqueiro-jagunço. Ou queria morrer que nem beato. Se deixasse a machadinha cair, se se rendesse porque estava cercado, não iria ser morto. Na frente daquele povaréu em cima da ponte.

Tonho, no depois, com ajuda do Nêgo Dolores e do povo do Cerrado, acabaria com a raça daquela gente invasora de país dos outros, já com dono e vaqueiro. Tinha que ter matado Severino no Cerradão. Foi parar no coração da terra ocupada pelo inimigo. Aquele povo não devia de ter caçado briga com Coronel. Pra tomar terra. Jeito certo era conversar. Prosear tranquilo. Pedir trabalho. Coronel ia dar jeito de conseguir. Não na marra. Assim! Deviam de ser que nem as galinhas de Mané Bentinho. Primeiro de tudo, brigar. Depois, aceitar a ordem dos Gerais.

Ano passado, Coronel chegou para o pai de Mercês e disse querer comprar todo o terreiro dele. Porteira fechada. Garnisé, d'angola, pinto, frango, galo, poedeira e não poedeira. Bentinho, sabedor do caso do Coronel com a filha, caprichou no preço. Coronel pagou sem regatear. Cobriu a carroceria do Bedêforde com lona. Enfiou as galinhas muitas demais naquela gaiola escura. Levou para a tapera de João Cândido. Mandou chamar mãe. Zefina cuidará das galinhas. Safra de milho vai ser boa. Comida farta. Abriu a carroceria e tocou as galinhas compradas de Mané Bentinho para o novo terreiro. Nem bem elas foram pulando da carroceria para o chão batido, começou briga. A pior que já se viu nos Gerais. Frango com frango, galinha com galo, galo bicando de morte pintinho. Pena voando. Para tudo quanto é lado. Sangue cobria o terreiro. As galinhas de Zefina pareciam conhecer as do Mané Bentinho. Atacavam sem dó. Era um povo contra outro. Briga foi até no de noite. Dia seguinte continuou. Pouca. Depois, as galinhas do Mané Bentinho aceitaram obedecer os donos do terreiro. Estabelecer nova ordem. Briga acabou. De vez. Paz no galinheiro.

Devia de ser assim com povo do acampamento. Severino e sua gente eram de outro terreiro. Tinham que

FOGO, CERRADO!

aceitar ordem do Cerrado. A chefia do Coronel. Dos vaqueiros-jagunços. Conviver com povo da roça. Com povo carvoeiro. Severino devia de ter tomado juízo. Aceitar Coronel era ser parte de seu povo. Ganhava proteção. Se Severino matasse ele, ia ter ódio muito do povo do Cerrado. Naquela terra, Sertão, todo mundo era parente. Pelo sangue ou pelo compadrio.

Tonho não desgarrava o olho do olho de Severino. Tempo parou no tempo. Peixeira baixou um tico só. Menino atacou. Creck! Cabeça do chefe do povo do acampamento partiu no meio certo. Tonho usou resto de força. Braço cortado por peixeira formava um rego de sangue. Misturado com o de Severino. Menino olhou para o chão e para Madalena no alto na ponte. Quis pensar no futuro deles. Nos filhos muitos que teriam. As ideias estavam embaralhadas. Buscou os dias de menino. Felicidade. Solto. Como animal. Naquele Cerrado sem--fim. No agora invadido. Amaldiçoou a ponte. O asfalto. Da cor mesma da vista dele. Negro. Breu. Escuridão.

XXVIII

A primeira facada de peixeira entrou bem no umbigo de Tonho. Sentiu a lâmina girar em suas entranhas. Vista escureceu de vez. Antes de perder consciência, caído ali bem no meio do campo de futebol, ao lado do corpo de Severino e arrodeado pelo povo do acampamento, ouviu barulho de tiro. Vindo das bandas da Casa-grande. Ou da represa? Certeza teve de que João Cândido e Coronel vinham em disparada, já atirando para salvá-lo. Vinham não? Deu respiro fundo. Pensamento dele estava no meio de uma mancha cinza indo para o escuro de nuvens de tempestade. Das bravas. De dia virar noite. Num de repente.

Recordou a notícia da Rádio Nacional. A que ouviu quando andava catando graveto no quintal. Lembrou da conversa demorada demais com o Coronel. Ele contando como seria a chegada das tropas de amarelo comandadas por major amigo. Maçom! Filme de faroeste nos Gerais começou a rodar rápido dentro da cabeça dele. Como uma manada de vaca em disparada pelos campos limpos. Estouro. Nada podia parar os animais. Só mesmo o paredão de fundura infinita perto da casa de Sá Joana. Para onde todas estavam indo. Condenadas à morte. Não queria que morressem. Mas destino estava marcado. Não havia como escapar. Aquele caminho só levaria à morte certa. Eu, jovem vaqueiro, não consigo mudar destino. Evitar o pior. Manada ia levar ele junto. Para as profundezas do precipício. Tentou parar o pensamento. Não teve forças. Acordar. No meio de sonho ruim demais. Como se tudo fosse invencionice da cabeça própria. Sufoqueira. Sentiu o gosto de sangue dele mesmo. Golfada. Engasgou. Quis, no mais querer, que as tropas chegassem logo. Para mudar destino já marcado. Irreversível.

Delírio. Febre de maleita. Tremedeira. Embriaguez de menino. Doidera, demais!

Tropas chegando junto com a frente fria. Onda da imensidão dos Gerais. Pai tremia dos pés à cabeça. Homens de amarelo apiaram de dúzias de caminhões. Fileira no acostamento da Rio-Brasília. Soldados desceram das carrocerias já com armas na mão. Armas desconhecidas. Pequenas, cano curto. Disparando saraivada de balas. Tonho sentiu frio grandioso aumentando

FOGO, CERRADO!

no depressa. De entrar no osso. Tremeu um tremor que chegou na espinha. Único a saber do aviso que veio pelo rádio. Da frente fria que estava chegando. Trazia o pavoroso da morte do Sul.

Nem bem desceram do caminhão, soldados de amarelo fizeram roda pra ouvir homem de verde dar ordens. Tentou chegar perto. Não conseguiu. Ensinamento de ataque seria. Ouviram no mais depressa ouvir. Depois, caíram de cotovelo na terra e arrastaram a barriga pelo chão vermelho-arenoso, que nem cobra atravessando estrada de ferro. Desapareceram por entre moitas. De fora mesmo, só a cabeça do homem de verde. O Cerrado ficou no silêncio do vento gelado que tomou lugar da quentura da manhã no antes do dia chegar ao meio. Nem um pio de seriema. Nhambu quietou. Domingo.

Os meeiros começaram a coçar o braço pra espantar o frio. Botaram mais lenha no fogo do fogão de lenha junto ao chão. Carecia chamar Zinho. Pra catar graveto. Ajudar mãe a quentar a tapera. Tampar as gretas da porta. Capote não havia. Botaram cobertor nas costas. O frio voava nas asas do vento. Entrava de lugar em lugar. Já estava ali. Encostar porta. Vestir mais roupa. Besteira.

Sabia do que ia acontecer. Ouviu no rádio. Por que não contou? Calça curta. Num iam de acreditar nele. Corpo tremia mais que vara verde. Agarrou o garanhão Ventania. Conversou no ouvido dele. Ia montar em pelo para pegar a quenturinha da cacunda do cavalo. As pernas do animal estavam duras. Frio grudado. Dedos arroxeando. Difícil tirar canivete do bolso. Sangrou o cavalo. Sangue grosso soltava fumaça. Passou nas mãos pra esquentar. Molhou a língua. Sangue do garanhão tinha o mesmo sabor do dele. Doce. Breou as pernas do animal. Mão no vaivém. Montou sem rédea nem cabresto. Vamos, Ventania de Deus, para Campo Grande. Encontrar Madalena. O céu ganhou um pardo no ar. Vento passava na orelha fazendo um zoado. Cortava que nem o facão do pai. Usou para aparar pelos da cara. Primeira vez. Ninguém percebeu. Era já homem jagunço.

Soldados segredaram que vieram de Pirapora, Paraopeba, Montes Claros e Patos. Juntaram batalhão de homens do Cerrado, curtidos pelo Sol. Gente fraca de nascença e forte no bem tratado dos quartéis. Uns e outros tinham largado da enxada no pouco tempo. Conheciam os Gerais, o Cerrado. Marcaram encontro no acampamento. Soldado revelava tudo. Tonho aproveitou para saber segredos. Perguntou quem era homem de verde que falava língua de lugar nenhum. Dos Gerais é que não era. Veio direto de Brasília. Desceu de pássaro voador que pousou no asfalto mesmo. De muito gritar. Comandou a tropa. Entrou no meio das moitas de assa-peixe do Cerrado. Manhãzinha de domingo. Pegou graveto. Riscou um quadrado no chão. Aqui é o acampamento. Os comunistas estão todos aí dentro. Foram treinados no Norte, na queima de canavial e nos bandos

FOGO, CERRADO!

do cangaço. Ocuparam a terra bem na metade do caminho para Brasília, Belo Horizonte e Rio. O Prestes deles fez plano de dividir três colunas e começar a marcha pra tomar as capitais. Se conseguisse, o país ia ser partido ao meio. Sagrado dever de não deixar os comunistas tomarem tudo. Gente mais valorosa estava ali. Vamos fazer cerca de metralhadora no acampamento dos terroristas assassinos. Escutou fala alongada. Igual à do Coronel. Mais complicada até. Um pouco. Tentou lembrar nomes falados pelo homem de verde. Não eram dos Gerais.

Chegou outro soldado. Deu ordem para Tonho descer do cavalo. Tentou escapar. Escutou tiro. Bala cortou o braço dele. Sentiu sangue sair de jato. Dois soldados ficaram numa quina. Dois, na outra. Posição deles formava uma letra "L". Com balas. Atiravam seguido. Ninguém passava pelo fogo cruzado. Cerca mortal. Resto da tropa atirava com fuzil. Da beira do asfalto e de cima dos fornos da carvoaria. Na proteção, o pessoal da retaguarda ficava na ponte do Santo Antônio. Munição de sobra. Gastar à vontade. Homem de verde gritava: São uns dois mil ali dentro do acampamento. Não é pra sobrar vivalma.

Soldados não se importavam com o frio. O que ele estava sentindo e que só fazia aumentar. Esquentavam nos movimentos de ataque. Roupa deles era quente por natureza. Quase meio-dia. Frio de rachar por dentro. Nas entranhas. Sentiu cheiro de comida. Teve nojo.

343

Náusea. Vomitou. Uma golfada sufocante. Não era bílis, amarela. Vermelho, sim. Escuro. Entrava grosso pelo nariz. Tampando respiração. Parecia sopa de beterraba. Agonia aumentou. Vômito escorria pelo pescoço. Desejou ter um pouco de pinga. Para aprumar a cabeça. Zonza. Mãe disse jamais com os olhos. Ganhou garrafa do Coronel. Nunca abriu. Lembrou dia em que beberam gole pequeno, juntos. Homenzinho, disse Coronel. Pinga de alambique de Januária. Havana, disse. Ordem de olho de Zefina era obedecida. Sem discutir. Direito nenhum tinha. Olhos terríveis. Frio dos ossos dele dava tremura. Sentiu os pés balangarem. Descontrolados.

Ouviu barulho de carros. Caminhões. Jipes. Trator. De tudo. Ruído não era de carro passando apressado. Como sempre. Como devia de ser. Voando que nem o Ventania. Na baixada. Motores ligados. Na subida do morro, dum lado da ponte, do rio do Coronel dos Gerais, os caminhões pareciam estar de saída. Primeira marcha posta. Ouviu ruído barulhento de motor de Fenemê. Conversa de caminhoneiros. Conversa de alívio. Até que enfim estrada abriu. Porta de carro batendo no apressado. Frio não deixou ver direito. Não havia jeito de olhos abrirem. Estava cego e mudo. Só conseguia ouvir. E vomitar sangue. Som distante entrava devagar nos ouvidos. Olhos grudados com remela muita. Pesada.

Pediu licença a soldado. Respeitoso. Queria ver mãe e pai. Soldado falou num rádio com chiado de gato.

FOGO, CERRADO!

Disse podeí. Foi a pé, correndo, para casa. Entrou no rancho e viu pai atiçando fogo. Tampando as gretas das paredes de tora. Providência besta. Frio num saía. Nem entrava. Estava ali, grudado na pele deles. Pai pediu para Zefina gole de café fervente. A mulher não conseguia atender. Só os olhos andavam de um lado para outro. Olhos de pergunta. Não tinha gota de banha no corpo para se proteger do gelo. Frio que sentia parava nunca. Coronel falou em massa polar.

Pai carregou corpo magricelo da mãe e botou em cima da trempe do fogão de lenha. Trempe coberta com o couro da vaca Baixinha. Escutou um schiii de carne queimando. Pai pegou Zinho no colo e pôs em cima da mãe, pra agarrar quentura também. As pernas grandes não obedeciam mais suas ordens. Agarrou brasa de tora, enrolou em couro de boi e apertou na mão. Couro quente da vaca morta serventia pouca tinha pra matar o frio que mãe sentia. Não protegia. Ele, Tonho, carregou lata de querosene cheia de banha e carne de porco na conserva. Jogou no fogo. Chama ganhou força. Pulou para o colo da mãe. Não conseguia ajudar ela a se livrar de ser queimada viva. Como feiticeira. Bruxa. Pensamento de Tonho teimava em mostrar que ele estava como passarinho pego no visgo. Angustiado, tentava levantar voo. Sem poder bater as asas. Pedra bicho animal.

Assobiou forte. Como fazia para pegar cavalo no pasto. Ventania ia de ouvir. Era irmão dele. Melhor que Zinho.

Traia, não! O cavalo galopou para o rancho. Montou. Sem arreio. Em pelo. Ventania galopava na buniteza dele. Sangue voltou a sair do machucão. Escorria pelas pernas e deixava marca forte naquela brancura que virou o Cerrado. Marcas de sangue no gelo que ia de cobrir os Campos Gerais. Besuntou o corpo dele com o sangue do cavalo. Espantava com a mão aquele algodãozinho leve que teimava em cair macio. Num era pedra de gelo. O córrego Ajudantim começou a congelar. Água não corria mais. Só que o gelo estava dentro dele. Na represa, os jacarés fugiram para o fundo caçando calor. Um ficou com o focinho preso num galho, olho vermelho por cima d'água, corpo duro que nem pedra. Daria carne boa demais.

O Cerrado embranqueceu e silenciou todo. Meeiro, vaqueiro, povo da roça e da pirraça endureceu roxo de frio. Calor nem mesmo o do sangue do garanhão. As manchas vermelhas do puro-sangue começavam a endurecer. Dentro dos braços e das pernas dele, Tonho. Gelo vermelho. Galope feio, desenfreado, para chegar a Campo Grande. Encontrar Madalena. Antes que o sangue que corria em suas veias congelasse na cabeça. O colchão de gelo escondia uma greta profunda. Armadilha amaldiçoada. Ventania tropeçou. Tempo só para pensar que nunca mais ia poder ver a mais pura beleza só dele, Madalena. Caiu no meio do pasto de ponta-cabeça. Osso do ombro fez creck. Dor demais. Misturou sangue quente com o gelo frio de queimar.

Fogo, Cerrado!

Voltou caminhando para a Casa-grande. Chegou quando homem de verde ordenava vinda, pelo rádio com chiado, de seu helicóptero. Máquina de voar parou no ar. Quieta. Como bicho que voava em cima no poço do Santo Antônio. Comida de peixe. Helicóptero desceu na grama do quintal da Casa-grande. Quis pedir ajuda ao Coronel. De novo aquela impotência. De um mudo. Braços e pernas estavam piados. Patas de boi na hora de castrar. De marcar com ferro em brasa. Conseguiu ouvir Coronel dizer antes de subir na máquina voadora: Major e seus homens sabem bem o que de fazer pra acabar com os comunistas.

O Major chegou para Tonho e disse um me acompanhe. Jeito diferente de falar. Entendeu que tinha que seguir o homem de verde. Não conseguia caminhar. Soldados trouxeram cama que anda. Parecida com caixão. Foi levado para um caminhão militar parado no acostamento da Rio-Brasília, cheio de soldados. Madalena estava na boleia do fenemê parado logo em frente. Madalena! Mais buniteza do que em todo o tempo de antes. Correu a vista para o mais distante de terra que foi sua moradia. Sentiu frio dentro da cabeça aumentar quando os olhos dele entraram nos dela. Comichão no pinto. Único que ainda tinha alguma quentura. Só que não virou fruta jatobá. Como acontecia sempre. Madalena queria sair da boleia onde um homem a esquentava num abraço pelas costas. A mulher abriu a janela e gritou.

Os soldados metralhavam que metralhavam. O homem de verde, ao seu lado, gritou profundo: mais bala. Pipocar das metralhadoras. Cerca de bala. Impossível de cruzar. Pior que a de arame farpado. Major falou grave. É um acampamento de terroristas da Liga Camponesa do Julião. Severino apareceu no de repente no sonho de maleita. Matraquear de metralhadoras. Estava cercado. Alvoroço maior não havia. Povo do acampamento nem arma tinha para resistência. Só peixeira. Severino ordenou combate. Muitos cumpriram ordem no sem pensar e correram para cruzar a cerca de bala. Os corpos deles foram cortados bem ao meio. Mil morreram assim. Morte sem luta. No desespero.

As mulheres amarravam peixeira em cabo de vassoura. Fizeram lança. O homem de verde deu outra ordem seca: Fogo! O resto da tropa, com os fuzis já de engatilhados, obedeceu. A metade na posição de ajoelhado; outra metade, de pé, pernas abertas. As balas pegavam o povo do acampamento em cheio. Os que restaram. Os que não tentaram cruzar a cerca de bala. Os de lança tombaram. Sem tremer. Morte de instante. Pilhas de mortos. Severino corria em zigue-zague. Como o garanhão Ventania. Conseguiu jogar a primeira lança-peixeira amarrada no cabo de vassoura. Passou raspando a goela do soldado. Sangue correu. O soldado apertou rasgão no pescoço com o ombro levantado. Não tirou os dedos do gatilho. Disparos seguidos não podiam parar. Ordem era. Os

Fogo, Cerrado!

grupos de dez lanceiros foram saindo das casas. Pra morrer num logo. Fuzilaria sem-fim.

Povo do acampamento já era muito menos da metade. Contar mortos não dava. Mais. Viu Severino e sua mãe, a velha Dasdores. Pareciam sem rumo. Não restou arma de lançar peixeira. Nem planos. Começaram a convencer os sobreviventes do seu povo que melhor era morrer mesmo de morte morrida por eles do que por morte matada daqueles homens de amarelo. Homem de Verde como Chefe Maior. Passaram ordem. Severino foi o primeiro a cortar as veias do pescoço próprio. Depois, Dasdores. Riozinho de sangue foi aumentando com o que restava de outras veias cortadas. Sangue desceu em direção ao Santo Antônio. Águas puras estavam congeladas. Bem no fundo da cabeça dele. Sangue, quente, corria mais não.

Fogo de fuzil, que nem na Itália. Que nem em 35, meus bravos. Severino e seu povo estavam mortos. Não viram quando as bolas de fogo começaram a cair do céu. Aviões passavam voando baixo e deixavam bombas de fogo cair. Sá Joana bem que tinha tido visão do fim do mundo, e do fogo caindo do céu. Visão de quem viveu pra mais de 14 mil anos. Conhecimento muito daquela terra. Dela!

As bolas de fogo explodiam nas casas de madeira e incendiavam tudo. No fundo daquele fogaréu, dois pés de eucalipto, plantados pelo Coronel, teimavam em ficar de pé. Povo da carvoaria não poderia aproveitar o carvão daquela queimada pra esquentar o corpo. Entraram todos pra dentro dos fornos na hora que o frio de doer na alma apertou e quando os ataques não deixavam escapatória. Sufocados com a fumaça. Sair não mais. Balas de verdade e muito gelo fora. Sentaram no de mansinho no fundo das casas de forno. E dormiram sono profundo. O Cerrado era brasa. De gelo e de fogo. Os dois queimavam igual. As metralhadoras pipocavam.

Madalena sentiu a chegada da hora final. Do homem que mais gostou na vida. Livrou-se, num supetão, dos braços de Zé Carlindo. De nada mais adiantava o fingimento de amor dela. Só para conseguir chegar em Belo Horizonte. Disparou rumo ao meio de campo. Desceu, aos tombos, a ribanceira. Passou, como cobra, por baixo da cerca de arame farpado. Rasgou o vestido, nas costas. De uma ponta a outra. Roupa ficou presa nas farpas. Povos todos fizeram silêncio. Como se Sexta-Feira da Paixão fosse. Madalena, nua, colocou o menino-homem no colo. Tonho deu uma golfada de sangue.

Fogo, Cerrado! Fogo cerrado. Tiros sem fim. Gelo e fogo queimando os povos. Todos. Tonho quis correr para casa. Ver pai e mãe. Pernas não obedeciam. Implorou, chorando. Soldados se comoveram. Colocaram na maca de volta. Levaram para o rancho. Pai, com a brasa enrolada no couro de vaca, acendeu um goiano. A fumaça do cigarro se misturava com a de carne

FOGO, CERRADO!

queimada da banha que ele jogou em cima da lenha. Dedos das mãos e dos pés arroxeando. Comichão. Depois, não sentiu mais nada não. Sangue dele mesmo começou a virar gelo. Primeiro, nas pernas. Foi subindo. Paralisava tudo. Escutou um chiado na barriga quando começou a ficar dura e roxa. Nem podia beliscar o braço. Acabar com sonho ruim. Daqueles que dão em quem come manga, banana e ovo antes de dormir. Dor nenhuma. Escuridão profunda. Breu. Sinfonia de buzinas na Rio-Brasília. Suspirar agitado aquietou-se. Sentiu a cabeça entre os peitos generosos de Madalena. Viu imagem do Coronel. Olhando suas terras, do alto do morro, montado em Ventania. João Cândido, fumando goiano. Matutando. E Zefina. Olhos desenganados.

— Pai, mãe? Me acudam!

Conversa ao Final

Ao Bruno Liberati, em memória e gratidão

Fogo, Cerrado! começou a ser escrito em 1962 e reflete o "espírito da época" visto sob o olhar de um jovem, entre 11 e 15 anos, arrastado para o olho da tormenta histórica que passou pelo Brasil antes da ruptura democrática de 64. O manuscrito tomou forma em meados da década de 60 e ganhou densidade entre 68 e 72. Encorpou, porém pouco mudou ao longo dos últimos 50 anos. Só em 2008, o texto sofreu uma ruptura, deixando de ser um conto a caminho para vir a ser uma novela.

Luiz Fernando Emediato fez uma primeira leitura, já no final dos anos 70. Sugeriu que fosse totalmente reformulado, enriquecido e transformado numa grande epopeia sobre a moderna conquista do Oeste Brasileiro a partir da construção de Brasília. O conselho, valioso, porque veio com a provocação de se jogar um pouco de luz sobre um período da história pouco explorado por nossos escritores, levou a uma nova visita à obra que, de manuscrito, passou a texto datilografado, saltando de 50 para alentadas 90 páginas, preservando a essência da forma e do conteúdo.

Hugo Almeida, no início da década de 80, leu a versão ampliada e, desde então, transformou-se no principal incentivador para que fosse publicada. Ele fez várias leituras técnicas e especializadas, além de críticas fundamentais, quase todas aproveitadas. Hugo incorporou a *Fogo, Cerrado!*, com generosidade sem limite, seu profundo conhecimento da arte de fabricar obras literárias. Nosso diálogo de 32 anos, sobre forma e conteúdo, o transforma em co-autor do livro.

A terceira leitura, em meados da década de 90, foi de Patrus Ananias, mineiro de Bocaiúva, grande conhecedor do idioma do Cerrado usado no livro, fiel intérprete de Guimarães Rosa e defensor da Grande Nação Brasileira formada pelo entorno do Rio São Francisco expandido para Leste e Oeste, numa área de dois milhões de quilômetros quadrados, fator de unidade territorial e cultural do país. Ele não comentou forma ou conteúdo. Muito menos falou sobre as transgressões. Incentivou-me a publicar *Fogo, Cerrado!* sob o argumento de que era um livro forte e que levava a reflexões profundas.

Raduan Nassar, no início dos anos 2000, fez a quarta e última leitura, atenta, de *Fogo, Cerrado!* e contribuiu

FOGO, CERRADO!

com um julgamento tolerante, criterioso e cuidadoso. Sugeriu: retirar, decisivamente, o excesso de "realismo fantástico" que permeava todo o livro; deixar ao leitor as conclusões; e evitar o proselitismo exagerado e vulgar. Desqualificou meus temores e angústias por tamanhas transgressões e citou, de memória, trechos de suas próprias obras com muitas transgressões.

Essas quatro opiniões, sinceras, convenceram-me a publicar o agora romance. *Fogo, Cerrado*! tem um texto diferenciado na forma, tanto pelo uso de frases curtíssimas, agressivas e, muitas vezes, carregadas de raiva, quanto pelo conteúdo que, ao fazer um breve resgate de um hiato pouco visitado de nossa história, toca temas político-ideológicos ainda mal resolvidos pela "Geração de 68". Convenceram-me definitivamente de que eu deveria: 1) submeter meu trabalho ao rigor e profundidade da crítica feita por Raduan; 2) dar uma dimensão maior ao texto, preenchendo lacunas históricas e literárias, como sugeriu Emediato; 3) tomar o silêncio respeitoso de Patrus como uma provocação no sentido da perseverança e da dedicação que se deve ter com ideias e mensagens; 4) perceber que as contribuições feitas por Hugo eram uma clara indicação da necessidade de se escrever com maior rigor, respeitando o compromisso de entregar àquele que lê um texto bem alinhavado, polêmico e instigante; e 5) permitir uma reflexão sobre os extraordinários avanços das ciências naturais.

Bruno Liberati, amigo e saudosíssimo companheiro que morreu agora em 2020. Ele incorporou-se ao projeto em meados de 2005 para dar a *Fogo, Cerrado!* uma visão universal, tirando o livro dos limites do Sertão e expandindo suas fronteiras até o Litoral. Seus desenhos, em traços finos e elegantes, não apenas superaram o desafio de construir dezenas de personagens, mas também somaram qualidade editorial ao livro. Nossa exaustiva troca de e-mails sobre os personagens e a narração foi importante para que eu viesse a trabalhar para melhorar o texto, a fim de que ficasse no mesmo nível das suas ilustrações. A todos agradeço a generosidade.

Usei todo o meu tempo livre para dormir sobre o texto. Tempo que roubei de Florência, companheira querida e mulher diferenciada, e de meus filhos. Eles suportaram estoicamente minha ausência em férias, fins de semana e início de noites muitas.

Este livro usa a fonte
tipográfica Adobe Caslon Pro 13/17,5
sobre papel Polen Soft 70 g/m².

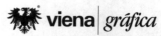

Impressão e Acabamento:
www.graficaviena.com.br
Santa Cruz do Rio Pardo - SP